JN015174

第5章 原則2 集中 ナイフを研ぎ澄ます

第6章 原則3 直接性 一直線に進む

第7章 原則4 基礎練習
弱点を突く

第8章 原則5 回想
学ぶためにテストする

第9章 原則6 フィードバック パンチから逃げない

第10章 原則7 保持 穴の開いたバケツに水を入れない

第11章 原則8 直感 構築を始める前に深掘りする

本文中に、注と数字・アルファベットがあるものは、注釈があります。
https://www.diamond.co.jp/go/pb/ultralearning.pdf より
ダウンロードできますのでご活用ください。

第1章

MITに行かずにMITの学生より短期間で学ぶ

あと数時間しかない。早朝の日差しが目の前のビルを照らし、私は思わず窓の外に目を向けた。そこはさわやかな秋の朝で、雨が多いことで有名な町にしては、驚くほど晴れている。私のいる11階の眺めの良い部屋の下では、ぴしっとした身なりの男性たちがブリーフケースを片手に闊歩(かっぽ)し、おしゃれな女性たちが小型犬を連れて散歩している。

週末を目前にして、仕事に向かう気乗りのしない通勤客たちを、バスがのみ込んで街へと運んでいく。町は眠りから覚めようとしていたが、私は夜明け前から起きていた。

しかし、いまは夢想している余裕はない。私は気を取り直して、目の前のノートに書かれている半分終わった数学の問題に注意を戻した。「単位球面の任意の有限部分について$\iint_R \mathrm{curl}\mathbf{F}\cdot\hat{n}\,dS = 0$であることを示しなさい」――こいつはやっかいだ。私が受講していたのは、ＭＩＴ（マサチューセッツ工科大学）の多変数微分積分学のクラスだった。その期末試験が目前に迫っており、私には準備する時間がほとんど残されていなかった。

curlって何だったっけ……？　私は目を閉じて、問題のイメージを頭の中に描こうとした。球面があるんだよな、それはわかる。私は何もない空間に浮かんでいる真っ赤なボールを、頭に思い浮かべた。それじゃ$\hat{n}$は何だ？　$\hat{n}$は「法線（normal）」を表しているんだったよな、と私は思い出した。

つまりある面から垂直に線が伸びているということだ。私の心の中にある赤いボールは、表面のあらゆる場所から直線が生えたことで、ふわふわの毛皮で覆われたような姿になった。しかしcurlはどうなる？　私の想像力は、大海原で振動する小さな矢印の波へと向けられた。curlは渦を示す。小さなループをくるくると回る渦だ。

私は再び、静電気で髪の毛が逆立ってしまったような、赤いふわふわのボールのことを考えた。私のボールには渦巻き状の箇所はなかったので、curlがあってはならない、と私は判断した。しかしどうやって証明すりゃいいんだ？

私はいくつかの等式を書きなぐった。やり直した方が良いな。私の頭に浮かぶイメージははっきりしていたが、それを数式に置き換えるのは難題だった。時間はほとんど残されておらず、準備を進めるうちにどんどん減っていく。時間が尽きる前にできるだけ多くの問題を解いておく必要があった。

それはＭＩＴの学生にとっては珍しい話ではなかった。やっかいな方程式、抽象的な概念、そして難解な証明問題はすべて、地球上で最も権威のある数学・科学教育機関の正常な一部なのである。**1つだけ違ったのは、私がMITの学生ではないという点だった。**

実際のところ、私はマサチューセッツ州にすら行ったことがない。先ほどの話はすべて、マサチューセッツ州から２５００マイル離れた、カナダのバンクーバーにある私の自宅で起きたことである。そしてＭＩＴの学生は通常、多変数微分積分学を１学期分の時間をかけて学ぶが、私は５日前に学び始めたばかりだった。

私の最初の挑戦「MITチャレンジ」

専門化・高度化する時代のための新しい勉強法

私はＭＩＴに通ったことはない。私が学生の頃通ったのは、カナダの中堅校であるマニトバ大学で、そこで学んだのはビジネスだった。しかし商学部を卒業した後、私は専攻を間違えたのではないかという気になっていた。私がビジネスの勉強をしたのは、起業家になりたかったからである。そうすることが、自分を自分の上司にするベストな道だと考えていたのだ。そして4年後、私は経営学専攻が大企業やスーツを着たビジネスマン、そして「標準作業手順書」の世界に進む人々のためのものだということに気づいた。

それとは対照的に、コンピューター科学は実際に何かをつくることを学ぶための専攻だった。そもそも私に起業の夢を抱かせたのは、プログラムやウェブサイト、アルゴリズム、そして人工知能であった。そのため私は、これからどうしたら良いのだろうと途方に暮れてしまったのである。

学校に戻るのはどうだろう、と私は考えた。改めてどこかの大学に入学するのだ。もう4年間かけて、別の学位を取るのである。しかし学生ローンを使ってまた4年も大学に通い、大学の官僚制とルールに縛られるというのは、あまり魅力的な話ではなかった。必要な知識を得るための、もっと良い方法があるはずだ。

そのとき偶然に、私はMITで教えられている授業がオンラインで公開されているのを発見した。それは講義、課題、小テストを完全に網羅していた。実際の授業で使われた試験問題と、そのヒントまで用意されていたのである。

私はこの授業を受けてみることにした。すると驚いたことに、私が以前大学に何千ドルも払って受講した授業のほとんどよりも、この授業の方がずっと優れていることがわかった。授業は洗練され、教授の話は面白く、教材も魅力的だった。さらに調べてみると、M

ＩＴが無料で公開している授業はこれだけではないことが判明した。ＭＩＴは何百というクラスの資料をアップロードしていたのである。

これが悩みを解決してくれるかもしれない、と私は考えた。ＭＩＴの授業を無料で学べるのであれば、学位全体の内容を学ぶことも可能ではないだろうか？

こうして、私が「ＭＩＴチャレンジ」と名づけたプロジェクトについて、半年にわたる準備作業がスタートした。私はＭＩＴでコンピューター科学専攻の学部生向けに提供されているカリキュラムを調べた。そして、その内容とＭＩＴがオンラインで無料公開しているコンテンツを比較した。

残念ながら、それは「言うは易く行うは難し」だった。ＭＩＴの「オープンコースウェア」（授業で使われたマテリアルをアップロードし、無料公開しているプラットフォーム）は、大学に通う代わりになるようなものではなかったのだ。公開されていない授業もあり、それは別の授業で埋め合わせるしかなかった。

また提供されているマテリアルが少ない授業は、内容のすべてを理解するのが難しそうだった。必修科目の１つである「コンピュテーション・ストラクチャー」は、電気回路とトランジスターを使ってコンピューターを一からつくるという内容だったが、講義の動画も教科書の指定もなかった。

そして授業の内容を理解するには、公開されているスライドショーに書かれている抽象記号を解読しなければならない。教材がなく、評価基準もあいまいだったため、すべての授業をＭＩＴの学生とまったく同じように受けることは不可能だった。**しかし、シンプルな方法でそれを乗り越えられそうだった——最終試験に合格することを目指すのである。**

私は後に最終試験だけを目標にするというアプローチをプログラミングの授業にも拡大することにした。これらはＭＩＴにおける学位の骨格とも言えるものであり、私が得たいと思っていた知識の大部分を網羅していて、余計なものが含まれていなかったのだ。

授業への出席を強制されることはない。宿題の提出期限もない。期末試験は準備ができればいつでも受けられて、落第しても再試験を行うことができた。ＭＩＴに物理的に通うことができないという、最初はデメリットだと感じられたことが、急にメリットになった。私はＭＩＴの学生が受ける教育を、彼らが使うよりも少ないコスト、時間、制約で受けられるのである。

可能性をさらに探るため、私はこの新しいアプローチを使ってテスト授業を行ってみた。事前に時間が指定されている講義に出席する代わりに、私はダウンロードしたその講義の動画を通常の2倍の速さで再生した。

1つ1つの課題を丁寧にこなし、成果が出るのを何週間も待つ代わりに、1つのマテリアルが終わるたびにテストを行うことで、自分が間違えている箇所をすぐに把握することができた。そしてこれらの方法を使えば、たった1週間でこのクラスの内容を網羅できることがわかった。ざっと計算し、誤差の余地を考えても、1年以内に残りの32のクラスすべてを学習できると私は結論づけた。

この取り組みは個人的なものとして始まったが、自分のための小さなプロジェクトという以上に、大きな意味合いがあることに私は気づき始めた。テクノロジーによって学習はかつてないほど容易になったが、授業料は高騰している。またこれまでは、4年制の大学を出ればきちんとした仕事に就けることが保証されていた。しかしいまでは、それは単に第一関門を突破するものでしかない。最高のキャリアに就くには、偶然では手に入れることのできない高度なスキルが求められる。

プログラマーだけでなく、企業の管理職、起業家、デザイナー、医師、その他ほぼすべての専門職において、必要な知識とスキルは急速に高度化しており、多くの人々がそれについていくのに苦労している。**コンピューター科学だけでなく、仕事や生活に必要なスキルを習得するための新しい方法があるのではないか、と私は心の奥で考えていた。**

自分の注意が窓の外の景色へと再び向かい始めたとき、私はこのチャレンジがどうやって始まったのだっけと思い返していた。3年前に別の大陸で、とある酒を飲まないアイルランド人と偶然出会うことがなかったら、私はこの奇妙な実験を始めることはなかったかもしれない。

たった3ヶ月で外国語をマスターする

次々に語学が習得できる非常識なアプローチ法

「問題はフランス語じゃない――パリジャンだ」。パリの中心部にあるイタリアンレストランで、ベニー・ルイスが私に向かってぶちまけた。

彼の不満は、パリのエンジニアリング会社でインターンとして働いていたときに、悲惨な1年を過ごしたことに端を発していた。彼はこの悪名高いフランス最大の都市で、仕事と社会生活に順応することに困難さを感じていたのである。それでも彼は、過度に批判的にならない方が良いのではないかと考えていた。結局のところ、彼がエンジニアとしてのキャリアを離れ、語学を学びながら世界中を旅するようになったのは、パリでの経験があったからなのである。

私がルイスに紹介されたのは、個人的なフラストレーションを感じている時期だった。私は当時、交換留学生としてフランスで生活していた。簡単にフランス語が話せるようになることを期待して家を離れたのだが、そうは問屋が卸さなかった。フランス人も含め、友人の多くが私に英語で話しかけてきて、1年では時間が足りないのではないかと感じるようになっていた。

私はこの状況について、地元の友人に愚痴をこぼした。すると彼は、国から国へと渡り歩いて、3ヶ月で新しい言語を覚えるチャレンジをしている男を知っていると教えてくれた。「そんなバカな」と私は嫉妬を込めて言った。私は懐疑的だったが、ルイスに会って、言葉を学ぶ上で私の知らない何かを知っているかどうか確かめてみる必要があった。そしてメールをやり取りし、電車を乗り継いで、ルイスと私は顔を合わせたのである。

昼食を取った後で、ルイスはパリの中心部を案内してくれた。そして「常に何かにチャレンジすることさ」と、私に人生のアドバイスをしてくれた。ルイスのパリに対する反感は和らいできていて、ノートルダムからルーブルへと歩いていくうちに、彼はパリでの日々を懐かしく語り始めた。

後で知ったのだが、彼の強い主張と情熱は、野心的な挑戦への意欲を高めるだけでなく、彼を困難に陥れることもあった。入管職員にビザの延長を拒否されたとき、彼は友人との会話の中で彼女をポルトガル語で罵ったのだが、それが当人の耳に届いてしまい、ブラジル連邦警察によって一時的に拘束されたのである。皮肉なことに、その入管職員がビザの延長を拒否したのは、短期間の滞在で彼のポルトガル語がこれほど上達するわけがないと考えたからであった。彼女は彼が観光ビザの条件を逸脱して、ひそかにブラジルに移住しようと考えているのではないかと疑ったのだ。

私たちが散歩を続け、エッフェル塔の前までくると、ルイスは自分のアプローチを説明し始めた。初日から話し始めること。見知らぬ人と話すのを恐れないこと。話を始めるために、旅行者向けのような会話表現集を活用すること――そして正式な学習は後回しにすること。ボキャブラリーを増やすために視覚的な記憶術を使うこと。私が驚いたのはその方法ではなく、彼がそれをいかに大胆に応用しているかだった。

私はおずおずとわずかなフランス語を習得しようとしていて、間違ったことを言ってしまうのではないかと心配し、自分に語彙力がないことを恥じていた。しかしルイスは恐れを知らず、すぐ会話に飛び込んで、不可能に思えるような挑戦を自らに課していた。

このアプローチの効果はてきめんだった。その時点ですでに彼はスペイン語・イタリア語・ゲール語・フランス語・ポルトガル語・エスペラント語・英語に堪能で、最近チェコ共和国に3ヶ月間滞在して、そこでも日常会話レベルに達していた。しかし私が最も興味をそそられたのは、彼が計画していた最新の挑戦だった。彼は3ヶ月間でドイツ語をマスターしようとしていたのである。

厳密に言えば、それはルイスにとってドイツ語を学ぶ初めての機会ではなかった。彼は学校で5年間ドイツ語の授業を受けたことがあり、短期間だがドイツを訪れたことが2回あったのだ。しかし学校で語学を学んだ多くの生徒と同様に、彼はドイツ語を話せるようにはならなかった。

「ドイツ語で朝食を注文することすらできなかったよ」と彼は恥ずかしそうに認めた。それでも、10年以上前に受けた授業で得られた未使用の知識があれば、ゼロから始めるよりも簡単に挑戦できるだろう。難しさが減った分を補うため、ルイスはハードルを上げることにした。

通常の場合、彼は3ヶ月間で「B2」レベルに到達することを目標にする。B2（下からA1、A2、B1……のように並んでいる6段階中の4番目）とは、ヨーロッパ言語共通参照枠（CEFR）で中級の上に位置づけられるレベルで、これに相当する人物は「ネイティブスピーカーと、お互いにストレスを感じることなく、日常的なコミュニケーションを自立的に行える」と定義されている。

しかしルイスは、ドイツ語ではより高いレベルである「C2」を目指すことにした。これは対象となる言語を完全にマスターしたとされるレベルだ。C2に到達するためには、学習者は「ほぼあらゆる聞き取りと読み取りを問題なく行う」ことに加え、「最も複雑な状況下でも、言葉の細かなニュアンスを使い分けて、常に流ちょうかつ正確に自分を表現することができる」ようにならなければならない。認定試験を行うゲーテ・インスティトゥートは、このレベルに達するために750時間分の講義（この中にはクラスの外での集中的な練習は含まれていない）を受けることを推奨していた。[注1]

本文中に、注と数字・アルファベットがあるものは、注釈があります。
https://www.diamond.co.jp/go/pb/ultralearning.pdf より
ダウンロードできますのでご活用ください。

数ヶ月後、ルイスからプロジェクトの結果について聞くことができた。彼はあと少しというところでC2レベルの試験に合格することができなかった。5つの基準のうち4つまでクリアしたのだが、リスニングのセクションで落ちてしまったのである。「ラジオのリスニングに時間をかけすぎてしまったんだ」と彼は自分を責めた。「もっと実践的なリスニングの練習をすべきだったよ」

3ヶ月間の集中的な学習は彼の思った通りにはならなかったが、驚くほどの成果をあげていた。このマルチリンガルなアイルランド人に会ってから7年が過ぎたが、彼はその間にさらに6つの国々で3ヶ月間の語学習得チャレンジを行い、自身のレパートリーにアラビア語、ハンガリー語、標準中国語、タイ語、アメリカ手話、さらにはクリンゴン語（SF作品『スター・トレック』に登場する空想の言語だ）まで加えていた。

当時は気づいていなかったが、いまではルイスの達成した成果はそれほど珍しいものではないと言うことができる。語学の分野だけでも、40以上の言語をマスターしている人々や、知らない言語でも数時間触れるだけで話せるようになる冒険家兼人類学者、あるいは観光ビザで各国を渡り歩いて、新しい言語を身につけるルイスのような旅行者たちに会ったことがある。そして集中的な自己学習によって大きな成果を達成するという現象は、言語に限られた話ではない。

クイズ番組で20万ドルを勝ち取った男の戦略と分析

「集中的な学習」が不可能を可能にする

ロジャー・クレイグは画面上に、「『戦場にかける橋』とは何か?」という質問文を殴り書きにした。書き損じはあったものの、クレイグの回答は正解だった。彼は7万7000ドルを勝ち取った――これは当時、クイズ番組「ジョパディ!」において1日で獲得した賞金として最高額だった。そして、クレイグの勝利はまぐれではなかった。彼は自らの記録を破り、5つの試合を連続で勝ち抜いて、合計で20万ドル近い賞金を獲得したのである。

それだけでも偉業と言えるが、さらに凄かったのは、彼がそれを成し遂げた方法だった。彼はこう述懐している。「最初に思ったのは『やった、7万7000ドルを手に入れたぞ』ではなく、『うわぁ、僕のサイトは本当に役に立ったぞ』でした」[注2]

あらゆるジャンルの質問が出題されるテストに向けてどのように準備するか? それこそがクレイグに突きつけられた課題だった。「ジョパディ!」はアメリカのクイズ番組で、ありとあらゆる雑学で視聴者を困惑させることで有名だ。したがって過去のチャンピオンたちは、長い時間をかけて事実に関する膨大な知識(それがどんなテーマにでも対応するために求められる)を蓄積してきた博学な人物であることが多かった。

すべてのジャンルを勉強する必要がある以上、「ジョパディ！」に向けて準備をするなんて不可能だと思うだろう。**しかしクレイグの作戦は、知識を得るプロセスそのものを再考することだった。**それに向けて、彼はウェブサイトを立ち上げた。

「ゲームに勝ちたい人は、そのゲームの練習をするでしょう」とクレイグは言う。「その練習を手当たり次第にすることも、効率的にすることもできます[注3]」

幅広い雑学を集めるために、彼は知識を得る方法を分析することにした。

コンピューター科学者であった彼は、これまで放送された「ジョパディ！」に登場した何万という質問と回答をダウンロードするところから始めた。そこから数ヶ月間、空いた時間を利用して、得られた問題に取り組んだ。

次に彼は、テキストマイニングを行うソフトウェアを使って、問題を歴史やファッション、科学といったジャンルに分類した。そしてデータを視覚化し、自分の長所と短所が目に見えるようにした。テキストマイニングによって作成されたグラフの上では、各ジャンルは異なる円として表示された。

グラフ上の円の位置は、彼がそのジャンルにどれだけ長けているか（高ければ高いほどそれに関する知識がある）を示していた。また円の大きさは、「ジョパディ！」においてそのジャンルの問題が出題される頻度を示していた。大きければ頻出ジャンルということで、より準備に時間をかけた方が良いという意味になる。

「ジョパディ！」の問題は幅広く乱雑に見えたが、彼はその裏にある隠れたパターンをつかみ始めていた。そして得られた攻略法の1つが、「デイリーダブル（解答者がスコアを倍にするか、あるいはすべて失うかにチャレンジできるというルール）」に関するものである。

これへの挑戦権が得られるパネル（「ジョパディ！」では各試合に6つのカテゴリーが用意され、それぞれのカテゴリーに5つのパネルが配置されており、それを解答者が選ぶと問題が出題されるという形式になっていて、難しい問題ほど獲得できる賞金額が大きい）はランダムに配置されている（1回の試合の中で用意されているデイリーダブルは1～2枚のみ）ように思われたが、彼は自分が構築した「ジョパディ！」のアーカイブを分析することで、その位置に一定の傾向があることを発見した。

従来の攻略法では、あるカテゴリー内の問題（パネル）がすべて開かれるまで、そのカテゴリーに留まるというのがセオリーだった。しかし彼はこのセオリーを破り、カテゴリーを次々に移動してデイリーダブルを探し出すようにしたのである。

またクレイグは、問題の種類にも傾向があることを発見した。「ジョパディ！」の問題はあらゆるジャンルから出題される可能性があるが、そもそもこの番組の目的は家庭にいる視聴者を楽しませることであり、解答者に挑戦することではない。

そう考えたクレイグは、一定の方向に知識を深掘りするのではなく、特定の分野において最もよく知られている雑学を勉強する方が効率的だと気づいた。そして過去の問題における自分の弱点を分析することで、どの分野をもっと研究する必要があるかを把握できた。たとえば彼はファッションに弱かったため、それをより深く勉強することに集中した。

分析して勉強すべきポイントを探ることは、最初のステップにすぎなかった。さらにクレイグは、間隔反復ソフトウェアを使って効率を最大化した。間隔反復ソフトは、ポーランドの研究者ピョートル・ウォズニアックが1980年代に開発した、高度なフラッシュカードのアルゴリズムである。[注4] このアルゴリズムは、ある情報を記憶する必要がある際に、その情報を再確認するタイミングが最適化されるように設計されている。

事実に関する大量の情報がある場合、ほとんどの人々は最初に学んだことを忘れてしまうので、それを脳内に定着させるためには、何度も何度も思い返す必要がある。しかしこのアルゴリズムは、情報を思い返すのに最適なタイミングを割り出してくれるため、記憶するために無駄なエネルギーを消費することなく、またすでに覚えた情報を忘れてしまうこともない。このツールを使うことで、クレイグは「ジョパディ!」での勝利に必要な数千もの情報を効率的に記憶することができた。

この番組は1日に1エピソードしか放送されないが、収録は5エピソード分が一度に行われる。クレイグは5連勝してホテルの部屋に帰ってきたが、眠ることができなかった。

「ゲームのシミュレーションはできますが、12歳のときから憧れてきたクイズ番組に出て、5時間で20万ドル獲得して、1日としての最高記録をつくるなどというシミュレーションはできません」[注5]と彼は言った。彼は独自の戦略と攻撃的な分析を組み合わせることで、このクイズ番組に勝利したのである。

集中的な自己学習によって運命を変えたのは、ロジャー・クレイグだけではない。当時は知らなかったが、私がMITチャレンジを開始した2011年、エリック・バロンも自分の関心事に取り組み始めていた。しかし私と異なり、彼は5年にわたって努力し、また数多くのまったく異なるスキルを習得する必要があった。

最低賃金から億万長者に
ウルトラ・ラーニングでヒットゲームをつくったバロンの話

ワシントン大学タコマ校のコンピューター科学学部を卒業したとき、エリック・バロンはいよいよチャンスが回ってきたと考えた。彼は自分でビデオゲームをつくりたいと思っていて、安定して給料がもらえるプログラミングの仕事に就く前に、それにチャレンジしようと考えたのである。

彼はすでにインスピレーションを得ていた。日本のゲームシリーズ「牧場物語」（作物や家畜を育て、田園地帯を探索し、他の住民であるプレーヤーたちと協力して牧場経営を成功させるというゲーム）にオマージュを捧げる内容にしようと思っていたのだ。

「私はこのゲームが大好きでした」と彼は子どもの頃の経験について語っている。「でも、もっと楽しくできるのにとも思っていました」。自分が抱くこのビジョンを追わなければ、改良版が現実になることはないと彼は理解していた。

商業的に成功するビデオゲームを開発するのは容易ではない。ＡＡＡタイトル（超大作のゲーム）を制作する会社は、何億ドルもの予算を投じ、数千人のスタッフを雇って開発を進めさせている。

求められる人材の幅も広い。ゲームの開発にはプログラミング、ビジュアルアート、作曲、ストーリーライティング、ゲームデザインなど、ジャンルや内容に応じて数々のスキルが必要だ。要求されるスキルの幅の広さによって、小規模なチームでのゲーム開発は、作曲や脚本、視覚的芸術といった他のアートよりもはるかに困難なものになる。非常に才能のある独立系のゲーム開発者であっても、必要とされるすべてのスキルをカバーするためには、他の人々と協力するのが一般的だ。

しかし、エリック・バロンは、ゲーム開発に１人で取り組むことにした。

１人で仕事をすると決めたのは、彼が自分のビジョンに傾倒し、ゲームを完成させられるという揺るぎない自信を持っていたからだった。「自分のビジョンを、自分で完全にコントロールしていたいのです」と彼は説明した。そしてデザインに関して、「自分と同じ考えの人を見つけるのは不可能」かもしれないのだと語った。

しかしこの決断は、彼自身がゲームのプログラミング、作曲、ピクセルアート、サウンドデザイン、ストーリーライティングに熟達する必要があることを意味していた。バロンの挑戦は、単なるゲームデザインのプロジェクトではなくゲームデザインのさまざまな側面をマスターすることだったのである。

彼はスキルを「完全にゼロから」学ばなければならなかった。そしてそのスキルを商業レベルにまで引き上げるのは容易ではなかった。「アート系の作業のほとんどを、3～5回はやり直しました」と彼は語っている。「特にキャラクターについては、少なくとも10回はやり直しています」

バロンの戦略は単純だが効果的だった。**彼は自分のゲームで使いたいと思っていたグラフィックスに直接取り組み、それを通じて練習を重ねた。**そして自分の作品を批評し、自分が尊敬していた作品と比較した。「科学的な分析を心がけました」と彼は説明する。そして他のアーティストの作品を見るときには、「なぜ自分はこれが好きなんだ？　嫌いなのはなぜだ？」と自分自身に問いかけました。

彼はピクセルアートの理論を読み、自分の知識とのギャップを埋めてくれるテキストや映像を見つけることで、練習を補った。また壁にぶつかったときには、それを分解して考えた。「まず『どんな目標を達成したいのか?』を考え、そして『どうやってそこにたどり着くのか?』を考えました」

ゲーム開発に取り組む中で、彼は自分の色が退屈でつまらないと感じたことがあった。「色をポップにしたかったんです」と彼は言う。そこで彼は色の理論を調べ、他のアーティストたちがどのように色を駆使して視覚的に面白い作品をつくっているのか、徹底的に研究した。

バロンが学ばなければならなかった分野は、ピクセルアートだけではない。彼は自分のゲームのためにすべての音楽を作曲し、それが自分の求める水準に達するように、何度もゼロからつくり直した。

ゲームの骨格も、彼の厳しい基準を満たしていなければ、何度も廃棄されてつくり直された。何かに直接取り組んで、練習し、やり直しをするというこのプロセスによって、彼はゲームデザインのあらゆる面で着実にスキルを上達させていった。ゲームが完成するまでに長い時間がかかったが、彼の開発したゲームは、専門のアーティストやプログラマー、作曲家たちの手によるゲームと競争できるほどの内容になった。

ゲーム開発には5年を要し、バロンはこの間、コンピュータープログラマーとして就職することを避けた。「私は重要なことに関わりたくありませんでした」と彼は言う。「そんな時間はなかったし、ゲーム開発にベストを尽くしたかったのです」

彼はその代わりに、劇場の案内係として働き、他に注意がそがれないように最低賃金で働いた。仕事で得たわずかな収入と、ガールフレンドからの援助によって、バロンは自分の情熱に集中することができた。

その情熱と献身的な姿勢は、最終的に報われることとなった。バロンが2016年2月にリリースした「スターデューバレー」は、すぐに驚くほどのヒットを飛ばし、ゲーム配信プラットフォーム「スチーム」で提供されている、多くの大手スタジオによるタイトルを上回る売上を記録した。バロンの推定によると、「スターデューバレー」は複数のプラットフォームを通じて、リリースの初年度に300万本以上売れたという。そしてたった数ヶ月で、彼は最低賃金で生活する無名のデザイナーから、億万長者へと変貌を遂げ、ゲーム開発の分野における「フォーブスが選ぶ30歳未満の30人」の1人にも選ばれた。

彼のスキル習得に対する献身的な姿勢は、こうした成功に少なからず貢献した。ビデオゲームに焦点を合わせたウェブサイト「デストラクトイド」は、「スターデューバレー」のレビューの中で、この作品を「信じられないほど魅力的で美しい[注6]」と表現している。バロンの自らのビジョンへの献身と、集中的な自己学習が大きな成果をあげたのだ。

MITチャレンジとその後

私は「スキル習得のための万能薬」を見つけた

私は狭いアパートで、微積分のテストの採点をした。難しかったが、何とか合格したようだ。ほっとしたものの、くつろいでいる時間はない。次の月曜日には、新しいクラスを始めるつもりだった。これを1年間続けるのだ。

カレンダーが変わると、私の戦略も変わった。1つのクラスを数日でやろうとしていたのを、3～4のクラスを並行して行うことにしたのである。そうすれば学習時間が長くなり、詰め込み学習の悪影響を抑えられるのではないかと私は考えた。

そして学習を進めていくうちに、ペースを落としていった。最初に取り組んだクラスでは、自分で設定した期限に間に合うように、ハイスピードで学習を進めた。そしてスケジュール通りに終わらせられそうなことが見えてきたので、私は勉強にかける時間を週60時間から、35～40時間に減らした。最終的に、2012年9月、始めてから12ヶ月経たないうちに最後のクラスを終えることができた。

このプロジェクトは、私にとって目からうろこが落ちる体験となった。私は長い間、何かを深く学ぶ唯一の方法は、学校に通うことだと思っていた。しかしMITチャレンジを完了したことで、この前提が間違っていることを理解できただけでなく、新しい方法の方が楽しくてエキサイティングであることもわかった。大学時代、私は退屈な授業の間、必死で眠気をこらえたり、宿題に押しつぶされそうになったり、単位を取るためだけに興味のないことを学んだりと、まるで窒息してしまいそうだった。

一方でこのプロジェクトは、私自身のビジョンを反映し、私自身が設計したものだったため、困難なことがあっても苦しいと感じることはほとんどなかった。学んだテーマは刺激的で、課題に取り組んでいても、雑用を片づけるなどという感覚は抱かなかった。

正しい計画と努力があれば、自分のやりたいことは何でも学べる、初めてそう思えたのである。私は無限の可能性を感じ、すでに何か新しいことを学びたいという気持ちになっていた。

すると友人から、こんなメッセージが届いた。「お前、レディット（アメリカのソーシャルニュースサイトで、ユーザーがニュース記事や画像のリンクを投稿したり、それにコメントしたりすることができる）のトップページに載ってるぞ！」

ネットの住民たちが私のプロジェクトを見つけて、かなりの議論が巻き起こっていたのである。このアイデアを気に入る人もいれば、それが有益かどうか疑問を投げかける人もいた。「企業がこういうチャレンジをする人々を、学部卒と同じように扱っていないのは残念なことだ。学部卒と同じくらい、あるいはそれ以上に知識を持っていたとしても同じように扱われていない」

あるソフトウェア会社のR&D部門の責任者を名乗るユーザーは、それに反論していた。

「彼こそ求めるタイプの人材だ。学位を持っているかどうかなんて、私は本当に気にしていない」[注7]

議論は激しさを増していた。私は本当に何かをやり遂げたのだろうか？ これからプログラマーの仕事に就けるだろうか？ なぜこれを1年でやろうとしたのか？ 私は頭がおかしいのだろうか？

私は注目を浴びたことで、他のリクエストも舞い込んできた。たとえばマイクロソフトのある社員が、私に同社の面接を受けないかと連絡してきた。新しく設立されたスタートアップ企業からは、チームに加わらないかという誘いを受けた。そして中国の出版社からは、勉強のコツがわからずに困っている中国人学生に教える本を出版してはどうかという申し出を受けた。

しかし私がこのプロジェクトに取り組んだのは、そうした誘いを受けたかったからではない。私はすでに、オンライン上でライターとして働くことに満足していた。その仕事を通じて、私は自分のプロジェクトを進めるのに十分な資金を得ることができ、今後もその状態を続けられるだろうと期待できた。このプロジェクトの目的は、仕事を見つけることではなく、何が可能かを知ることだった。最初のプロジェクトを終えてから数ヶ月後には、新しいプロジェクトのアイデアが頭に浮かんできていた。

私はベニー・ルイスのことを考えた。彼は私にとって、集中的な自己学習という奇妙な世界における最初のお手本だった。彼のアドバイスに従って、私は最終的にフランス語の中級レベルに達した。それには猛勉強が必要だったが、英語を話す人々に囲まれながら十分なレベルのフランス語を習得できたことを、私は誇りに感じていた。

しかしＭＩＴチャレンジを終えた後、フランス語の勉強からは得られなかった新たな自信が胸の中に生まれていた。もし最初にフランス語を学んだときに犯した失敗を回避できていたとしたら？　フランス語が上達するまで英語を話す友人の輪から出ないようにしようとするのではなく、ベニー・ルイスの真似(まね)をして、初日からいきなりフランス語に飛び込むようにしたら？　ＭＩＴチャレンジのときのように、生活のすべてを学習にあて、新しい言語の習得に向けて可能な限り集中的かつ効率的に勉強したとしたら？

都合の良いことに、その頃ルームメイトが大学院に戻ろうとしていて、その前に旅行に行きたいと言い出していた。２人とも貯金があったので、資金を合わせて倹約的な旅行の計画を立てれば、何かエキサイティングなことができそうだった。

私は彼に、フランスでの経験を話した。フランス語を学んだこと、そしてそれ以上のことが可能ではないかと密かに信じていることを語ったのである。またフランスに到着し、フランス語を話さずにいると英語を話す友人に囲まれてしまい、そこから抜け出すのが難しかったことも話した。単に十分な練習の機会があったらと願うだけでなく、自分に逃げ道を与えないようにしたら？　飛行機から降りた瞬間に、学ぼうとしている言語だけしか使わないと覚悟を決めたら？

友人は懐疑的だった。彼は私がアパートの別室で、1年間MITの勉強をしているのを見ていた。彼は私が正気なのかどうかわからず、自分自身の能力についても疑っていた。試してみる気はあったが、自分ができるかどうか確信が持てなかったのである。

私たちは最終的に、このプロジェクトに「英語を話さない1年」という名前をつけた。

その内容はいたってシンプルだ。私たちは4ヶ国をめぐり、それぞれの国で3ヶ月滞在する。そして滞在初日からお互いに、誰とも英語で話さない。そこから先は、観光ビザが切れるまでどこまで語学が学べるかに挑戦し、3ヶ月過ぎたら次の目的地に移るのである。

私たちの最初の目的地は、スペインのバルセロナだった。空港に着いて早々、私たちは最初のトラブルに遭遇した。2人の魅力的なイギリス人女性から、道を尋ねられたのである。私たちは顔を見合わせ、知る限りのわずかなスペイン語を口に出し、英語がわからないふりをした。

しかし彼女たちはまったく理解してくれず、繰り返し道を尋ねてきたが、今度はいらだった口調だった。私たちがさらに苦労してスペイン語をひねり出すと、彼女たちは私たちが英語を話せないのだと考え、いらいらしながらその場を立ち去った。

英語を封印したことが、すでに予期せぬ結果を招いているように思われた。しかし幸先の悪いスタートを切ったにもかかわらず、私たちのスペイン語力は予想よりも早く向上した。スペインで2ヶ月過ごした頃には、私たちはスペイン語でコミュニケーションを取るようになっていて、それは私が1年間フランスで部分的にフランス語に触れて得られた語学力を上回っていた。

私たちは朝に家庭教師のもとを訪れ、少し勉強し、残りの時間を友だちと遊んだり、レストランでおしゃべりしたり、スペインの太陽の光を浴びたりして過ごした。以前は疑っていた友人も、この新しい学習法をすっかり支持するようになった。彼は私ほど積極的に文法や語彙を勉強する気はなかったが、スペインでの滞在が終わる頃には、彼もそこでの生活にすっかり溶け込んでいた。この方法は私たちが期待していたよりもずっと上手くいき、私たちはその信奉者になっていた。

私たちは旅行を続け、ポルトガル語を学ぶためにブラジルへ、標準中国語を学ぶために中国へ、韓国語を学ぶために韓国へと向かった。アジア圏の言葉を習得するのは、スペインやブラジルでの経験よりもずっと困難だった。準備段階では、これらの言語は欧米の言語よりも少し難しいだけだろうと考えていたが、実際にはもっと難しいことがわかったのである。

そのため私たちの「英語禁止」ルールは、できる限り適用しようとしたものの、崩れ始めていた。ただ短い滞在で私たちが習得した標準中国語と韓国語は、他の2つの言語と同じ程度までは上達しなかったものの、友だちをつくったり、旅行したり、さまざまな話題で会話したりするのに十分なレベルにまで達した。1年が終わったときには、私たちは自信を持って4つの新しい言語を使えるようになっていた。

コンピューター科学という学問の勉強と、語学の習得という2つのチャレンジに同じアプローチが有効であるのを見て、私はそれがもっと多くの分野に適用できると徐々に確信するようになった。

子どもの頃、私は絵を描くのが好きだったが、他の人々と同様に、私が描く顔はどれもぎこちなく不自然に見えた。路上で風刺画を描くアーティストであれ、プロの似顔絵画家であれ、素早く似顔絵を描ける人にずっと憧れていた。そしてＭＩＴのクラスや言語を学ぶのと同じアプローチを、芸術にも適用できるのではないかと考えた。

私は1ヶ月を使って、顔を描くスキルを向上させてみることにした。すると自分が一番苦労しているのは、顔の特徴となるパーツを適切に配置することだと気づいた。

たとえば、顔を描くときによくある間違いは、目を置く位置が上すぎることだ。大部分の人は、目が顔の3分の2の辺りにあると考えているが、実際には頭のてっぺんと顎の中

画力向上プロジェクトの１日目と30日目の作品

間に位置するのが一般的だ。

こうした勘違いを克服するために、私は顔写真をスケッチするという練習を行った。完成したスケッチは携帯電話で撮影し、オリジナルの画像の上に、私のスケッチの写真を半透明にして重ね合わせる。それによって、頭の幅が狭いのか広いのか、唇の位置が低すぎるのか高すぎるのか、目の位置が合っているのかがすぐにわかるのである。これを何百回と繰り返し、ＭＩＴチャレンジで役立った、迅速にフィードバックを得るという戦略をとった。こうした手法を活用することで、私は短期間で似顔絵を描くスキルを向上させることに成功した。

さまざまなウルトラ・ラーナーたち

個性的な学習者たちから見つけた共通の原則

表面的には、ベニー・ルイスの語学習得、ロジャー・クレイグのクイズ番組への挑戦、そしてエリック・バロンのゲーム開発はまったく異なるプロジェクトのように見える。しかしこれらは、私が「ウルトラ・ラーニング」[注a]と呼ぶ、一般的な現象の例だ。さらに掘り下げていくと、もっと多くの例が見つかった。学習の対象やその理由はそれぞれ異なるが、そうした例では、集中的な自己管理的学習プロジェクトを追求し、それを成功させるために似たような戦術を採用しているという共通点があった。

スティーブ・パブリナはウルトラ・ラーナー〔ウルトラ・ラーニングの実践者〕だ。彼は大学のスケジュールを最適化することで、3つのコースを履修し、たった3学期でコンピューター科学の学位を取得した。パブリナの挑戦は、私がMITのオンラインコースで実験するずっと前に行われていたもので、私に学習時間の短縮が可能ではないかというインスピレーションを最初に与えてくれた例の1つだ。

パブリナは無料のオンラインコースの恩恵を受けることなく、カリフォルニア州立大学ノースリッジ校に通い、コンピューター科学と数学の学位を取得して卒業した。[注8]

ダイアナ・ジョーンザイカリは、計算言語学の博士号に匹敵する知識を得るためのウルトラ・ラーニング・プロジェクトに乗り出した。[注9]彼女はカーネギーメロン大学の博士課程を参考にしながら、単に授業を受けるだけでなく、独創的な研究もしたいと考えていた。

彼女がこのプロジェクトを始めたのは、本当の博士号を得るために大学に戻ることは、彼女が愛していたグーグルでの仕事を辞めることを意味していたからだった。ジョーンザイカリのプロジェクトは、他の多くのウルトラ・ラーニングのプロジェクトと同様に、正式な教育プログラムが自身のライフスタイルに合わなかった場合に、そのギャップを埋めようとする試みだった。

多くのウルトラ・ラーナーたちはオンラインコミュニティによってサポートされており、匿名で活動しているため、彼らの取り組みはウェブサイトへの書き込みを通じてでしか観察できない。たとえばそうした書き込みの1つが、Chinese-forums.comというオンラインフォーラムで見られる。それを投稿したタムと名乗るユーザーは、ゼロから中国語を学習する過程を克明に記録している。彼は「週に70～80時間以上」を勉強に費やすという生活を4ヶ月間送り、中国の中で2番目にハイレベルな中国語能力試験であるＨＳＫ（漢語水平考試）の5級に挑戦した。[注10]

従来の試験や学位のあり方を、完全に捨ててしまっているウルトラ・ラーナーもいる。

トレント・ファウラーは2016年の初めから、工学と数学の知識を高めることに1年間取り組んだ。[注11] 彼はそれを「STEMパンク・プロジェクト〔STEMは科学・技術・工学・数学の頭文字を取った略語で、これらの領域に関する総合的な教育を「STEM教育」と呼んでいる〕」と呼んだ。これはSTEM教育と、レトロフューチャーな内容のSFを指す「スチームパンク」をもじってつけたものだ。

ファウラーはプロジェクトを、いくつかのパートに分解した。各パートは特定のトピック（計算やロボット工学、人工知能、エンジニアリングなど）をカバーし、大学で行われている授業をそのままコピーするのではなく、実践的なプロジェクトを基本として進められるようになっていた。

私が出会ったウルトラ・ラーナーたちは皆、それぞれ独自のアプローチを持っていた。タムのように自らに過酷な期限を課して、それを守るためにフルタイムで学習しようとする人もいれば、ジョーンザイカリのように、フルタイムの仕事をしながらプロジェクトを進めようとする人もいた。

標準化された試験や正式なカリキュラム、あるいは競争の優勝者をベンチマークとして参照する人もいれば、そういったものを無視してプロジェクトを設計する人もいた。言語やプログラミングなど、特定の分野にフォーカスする人もいれば、本当の博学者になろうと、多様なスキルを身につけることを目指す人もいた。

こうした個性がある一方で、ウルトラ・ラーナーたちは多くの共通点を持っている。彼らは1人でプロジェクトに取り組むのが一般的で、何ヶ月あるいは何年も努力していることが多いが、それを発表している場はブログの記事程度だ。彼らはほんの興味程度からスタートし、強迫的にその分野に没頭するまでになっていた。戦略を積極的に最適化しようとし、インターリービング法〔学習中に関連性はあるが違う何かをまぜる学習法〕や無駄カードの閾値（いきち）、キーワード記憶術などさまざまな学習法のメリットについて熱心に議論していた。

そして何より、彼らは学ぶことに関心があった。彼らの学習に対するモチベーションは、過酷なプロジェクトへと彼らを駆り立てた。そしてそれによって、彼らの経歴や安定が犠牲になることも多かった。

私が会ったウルトラ・ラーナーたちは、お互いを知らないことが多かった。本書を執筆するに当たり、**私は彼らのユニークなプロジェクトや、私自身が見出した共通の原則をまとめようと考えた。表面的な違いや特殊性を取り除いたときに、どのようなアドバイスが残るかを知りたかったのである。**

また彼らの極端な例から、普通の学生や社会人が役に立つ情報を一般化しようと考えた。まだ皆さんが、これまで紹介してきたようなプロジェクトに取り組む準備ができていなくても、ウルトラ・ラーナーの経験と認知科学の研究成果に基いて、自らの学習アプローチを調整することができるだろう。

ウルトラ・ラーナーは極端な人々だが、本書で紹介する内容は、一般の学生や社会人にとっても参考になる可能性がある。仕事で新しい役割やプロジェクト、もしくはポジションに任命され、その遂行に必要なスキルを短期間で習得する。エリック・バロンのように、仕事上で重要なスキルをマスターする。ロジャー・クレイグのように、幅広いトピックについて知識を身につける。新しい言語を学んだり、大学の学位と同じ知識を身につけたり、いまはできないことができるようになったりする。こうしたケースにウルトラ・ラーニングを活用できるはずだ。

ただ、ウルトラ・ラーニングは簡単ではない。それは困難でフラストレーションが溜まり、自分にとって楽だと思える範囲を超えて努力することを要求される。しかしそれは、それだけの努力に値するものだ。

まずはウルトラ・ラーニングとは正確にどのようなものか、一般的な教育や学習のアプローチとどのように違うのかを考えてみよう。次にすべての学習に共通する原則について考え、それをウルトラ・ラーナーたちがどのように活用して、学習時間を縮めているのかを見ていこう。

第2章

ウルトラ・ラーニングが「あなたの価値」を高める

ウルトラ・ラーニングとはいったい何なのか？

第1章では集中的な自己学習に取り組む人々を紹介し、この奇妙な学習法の成果を見てきたが、議論を先に進めるためには、もっと簡潔な解説が必要だ。

ここで「ウルトラ・ラーニング」の不完全な定義を載せておこう。

【ウルトラ・ラーニング】自己管理的かつ集中的な、スキルや知識を習得するための戦略

第1に、ウルトラ・ラーニングとは戦略だ。戦略とは与えられた問題に対する唯一の解決策ではないが、良い解決策である可能性がある。また戦略は、特定の状況には適しているが、他の状況には適さないという性格を持つ。したがって、戦略を使うことは選択肢の1つであり、絶対ではない。

第2に、ウルトラ・ラーニングは自己管理的だ。それは何を学ぶのか、なぜ学ぶのかについて、自ら決定するという意味である。完全に自己管理的な学習者であっても、何かを学ぶ際に教育機関に通うことが最良だと判断することは可能だ。同様に、教科書で説明されている手順に何も考えず従うことで、何かを「自習する」こともできる。

自己管理的とは、プロジェクトがどのように行われるかではなく、誰がプロジェクトの操縦席にいるかに関する話である。

最後に、ウルトラ・ラーニングは集中的だ。私が会ったウルトラ・ラーナーたちは皆、学習の効果を最大化するために、普通ではない手段を用いていた。学び始めたばかりの言葉を恐れず使ってみる、何千という雑学の問題を体系的に覚える、自分の作品を完璧になるまで何度もつくり直すといった具合である。

こうした作業は精神的につらいものであり、心が限界に達するかのように感じられるだろう。その対極にあるのが、楽しさや快適さに最適化された学習だ。語学学習アプリが選ばれるのは、それが楽しいからである。またクイズ番組の再放送を受動的に視聴していれば、自分がバカだと感じることもなく、真面目に何かを学ばなくて済む。

一方で集中的な学習法も、楽しさを感じさせる「フロー状態」を生み出す可能性がある。フロー状態に入ると、挑戦に意識が集中して時間が経つのを忘れてしまうのである。ウルトラ・ラーニングの場合は、何かを深く、効果的に学ぶことが常に最優先事項だ。

この定義は、これまで紹介してきた事例をカバーするものだが、まだ広すぎて満足できるものではない。私が会ったウルトラ・ラーナーたちは、この最小限の定義以上に、多くの特徴を共有している。そのため本書の第4章からは、ウルトラ・ラーニングに共通する原則と、それがどのようにして大きな成果をもたらすのかについて解説する。しかしその前に、なぜウルトラ・ラーニングが重要かを説明しよう。ウルトラ・ラーニングは奇抜な発想に思えるかもしれないが、この学習アプローチには実用的な利点があるのだ。

ウルトラ・ラーニングが私たちの人生を豊かにする

奇抜だが非常に実用的なメソッド

ウルトラ・ラーニングが簡単ではないことは明白だ。精神的、感情的、そして場合によっては肉体的にも負担になることを追求するためには、忙しいスケジュールをやりくりして時間を空けなければならない。より楽な代替案に逃げることなく、フラストレーションに真正面から立ち向かうのである。

そうした難しさがあることを考えると、なぜウルトラ・ラーニングを真剣に考える価値があるのかについて、はっきりさせておくことが重要だろう。

第1の理由は、仕事で役立つということだ。皆さんはすでに、生活費を稼ぐために多くのエネルギーを費やしているだろう。それに比べれば、ウルトラ・ラーニングは一時的にフルタイムの取り組みになったとしても、小さな投資である。しかし専門的なスキルを素早く習得することは、仕事上で平凡な努力を何年も続けるよりも大きな効果が得られる。キャリアを変えたい、新しい挑戦をしたい、進歩を早めたいと考えている人々にとって、ウルトラ・ラーニングは強力なツールとなる。

第2の理由は、私生活においても役立つということだ。楽器を演奏したい、外国語を話したい、シェフやライター、写真家になりたいと考えている人はどのくらいいるだろうか？

最も大きな幸福感は、簡単なことをしていても得られない。それは自分自身の可能性を追求し、限界を克服することで生まれてくる。

ウルトラ・ラーニングは、深い満足感と自信をもたらすものをマスターする手段を提供してくれる。

人々をウルトラ・ラーニングへと進ませる動機は、時代にかかわらず不変なものだが、難しいことを短期間で習得する技術を得ることは、皆さんの将来にとってさらに重要になりつつある。

まずは、この点を解説しよう。

「中流」というライフスタイルが送れる時代は終わった

常に学習することが要求される現代社会

経済学者タイラー・コーエンは、「平均の時代は終わった」と述べている。[注1] 彼はこの言葉をタイトルにした著書『*Average Is Over*』(『大格差：機械の知能は仕事と所得をどう変えるか』、NTT出版)の中で、コンピューター化や自動化、アウトソーシング、地域化によって、パフォーマンスの高い人々とそうでない人々との差がますます広がる世界になっていると主張した。

この状況をさらに促しているのが、「スキルの二極化」として知られる現象だ。アメリカではここ数十年、所得の格差が広がり続けていることが知られている。ただしそれだけでは、状況をより正しく把握することはできない。MITの経済学者デビッド・オー

ターは、格差が全面的に拡大しているのではなく、2つの異なる現象が起きていることを示した。[注2]

格差は社会の上層で拡大しており、下層では縮小しているのである。これはコーエンの「平均の時代は終わった」という主張と一致しており、所得分布の中央部分は下層へと圧縮され、上層はさらに上へと進んでいるのだ。さらにオーターは、この現象に対してテクノロジーが果たした役割を解説している。コンピューター化と自動化の進歩により、中程度のスキルが要求される仕事（事務員や旅行代理店のスタッフ、簿記係、工場労働者など）の多くが新しいテクノロジーに取って代わられた。

新しい仕事も生まれてはいるものの、そうした仕事は2つのタイプに分けられる。エンジニア、プログラマー、マネージャー、デザイナーなどの高いスキルが要求される仕事か、小売店の店員や清掃員、顧客サービス担当など低いスキルでもこなせる仕事である。

コンピューターとロボットによって引き起こされたこの傾向を悪化させているのは、グローバル化と地域化だ。中程度のスキルが要求される仕事は途上国にアウトソースされるため、国内からは消滅していく。一方で対面での接触や、文化・言語能力という形での社会的知識を必要とする低スキルの仕事は、今後も国内に残る可能性が高い。

また高スキルの仕事も、経営や市場と調和しながら進める必要があるために、海外に流出する可能性は低い。アップルがアイフォーンにつけたキャッチフレーズを思い返してみよう。それは「カリフォルニアデザイン、中国製」である。つまりデザインと経営が国内に残り、製造が中国に流れているわけだ。

地域化の進行は、この状況をさらに促しており、一部の大企業や大都市が経済に途方もない影響を与えるようになっている。香港やニューヨーク、サンフランシスコのような「スーパースター都市」は、企業や人材が集まり、集中することで「近接性」のメリットを利用しようとするため、経済に大きな影響を与えるのである。

これにどう反応するかによって、未来は荒涼としたものにも、希望に満ちたものにもなる。もし不安を覚えるとしたら、それはこの状況が、中流で成功したライフスタイルを送るために必要となる、私たちの文化に存在していた多くの前提が、急速に消えてなくなろうとしていることを意味しているからだ。

中レベルのスキルによる仕事がなくなろうとしているいま、成功するためには基礎教育を受けて毎日一生懸命働くだけでは十分ではない。そうではなく、常に学習することが要求される高スキルの仕事へと移動する必要がある。さもなければ、底辺にある低スキルの仕事へと追いやられてしまうのである。

しかしこの悲惨な未来図の裏側には、希望もある。**個人が新しいスキルを素早く、効果的に習得するツールを手に入れられれば、この新しい環境での競争力を高めることができ**

るのだ。

私たちは経済情勢の変化を制御することはできないが、成功に必要な専門的スキルを積極的に学ぶことで、それに対抗できる。

大学に通うコストの高まり
役に立つかわからない授業を受ける意味はあるのか?

高いスキルを要求される仕事への需要の高まりは、大学教育の需要も高めている。しかし大学はすべての人々に開かれた教育機関ではなく、圧倒的な重荷を与える存在になってしまっている。学生が学費の高騰によって、その後何十年も負債を抱えるのが当たり前になっているのだ。学費はインフレ率をはるかに上回るペースで上昇している。[注3] つまり教育を受けることが、大幅な昇給につながると期待できない限り、コストをかけるだけの価値はないかもしれないのである。

最高の学校や教育機関の多くは、新しい高スキルの仕事において成功するために必要な、中核的な実務技能をほとんど教えていない。伝統的に高等教育は精神や人格形成の場であったが、そうした高い目標は、新卒者が直面する財政的現実からはますますかけ離れていくようだ。

そのため大学に進学した人々にとっても、学校で学べることと、その後の人生で成功するために必要なこととのギャップが生まれてしまいがちになっている。再び大学に通うという選択肢が現実的でないとき、ウルトラ・ラーニングでそうしたギャップを埋めることができる。

急速な変化が生じている分野では、専門家は常に新しいスキルや能力を習得し、変化についていく必要がある。その際に学校に戻るという選択肢もあるが、多くの人々は選ぶことができない。これから実際に対処しなければならない状況に役立つかどうかわからない授業をこなしながら、数年にわたって生活を維持するなどということをできる人がどれほどいるだろうか？

ウルトラ・ラーニングは学習者自身がその内容を決定するため、さまざまなスケジュールや状況に対応でき、本当に学ぶ必要があるものに無駄なく狙いを定めることができる。

究極的には、ウルトラ・ラーニングが高等教育の代わりになるかどうかは問題ではない。多くの専門職では、学位を持つことは単に好ましいだけでなく、法的に求められている。医師や弁護士、エンジニアはいずれも、仕事を始める前に正式な資格が必要だ。しかしこうした専門家たちにとって、学校を卒業しても学習が終わることはないため、新しいテーマやスキルを自分自身で学ぶ能力は依然として不可欠なのである。

テクノロジーが拓く学習の新しいフロンティア

学習の効率を高められるかどうかはあなた次第

テクノロジーは人間の美徳も、悪も拡張する。いまや私たちの悪徳は、ダウンロードし、携帯し、共有できるようになったことで、悪化の一途をたどっている。自分の集中力を削いだり、惑わしたりする存在がかつてないほどに大きくなっており、その結果として、私たちは仕事とプライベート両方の危機に直面している。

こうした危機は現実のものだが、それに伴ってチャンスも生まれる。**テクノロジーを賢く使う方法を知っている人にとって、現代は歴史上最も簡単に新しい知識を学ぶことができる時代だ。**

古代エジプトのアレクサンドリア図書館が保有していたよりも膨大な量の情報が、情報端末とインターネット接続さえあれば誰でも自由に手に入る。ハーバード大学、MIT、イェール大学などの一流大学は、最高のコースをネット上で無料公開している。オンラインフォーラムやディスカッションのためのプラットフォームは、自宅を出なくてもグループで学習できる環境を提供している。

これらの新しい利点に加えて、学習という行為自体を加速するソフトウェアが登場している。中国語などの新しい言語を学ぶことを考えてみよう。半世紀前、学習者は扱いにくい紙の辞書で単語を調べなければならず、それは学習を手間のかかるものにしていた。しかし現在では、学習者は間隔反復ソフトウェアを使って語彙を増やしたり、ボタン1つで翻訳してくれる文書リーダーを使ったり、練習の機会を無限に提供してくれるポッドキャストを活用したり、翻訳アプリを使って外国語の環境に飛び込んだりすることができる。

こうしたテクノロジーの急速な進化は、従来の科目を学ぶベストな方法がまだ発明されていないか、そうしたテクノロジーがきちんと活用されていないことを意味する。学習の可能性は計り知れず、野心的な学習者が現れ、新しい手法を打ち立ててくれることを待っているのである。

ただ、ウルトラ・ラーニングに新しいテクノロジーは必要不可欠ではない。後の章で解説するように、それは長い歴史がある手法であり、多くの有名人がそれを応用してきた。しかしテクノロジーは、素晴らしいイノベーションの機会を生み出す。何かを学ぶやり方は、まだまだたくさん存在するのだ。

そして技術革新によって、ある学習法がはるかに簡単なものになったり、あるいは時代遅れになったりするかもしれない。積極的で効率性を重視するウルトラ・ラーナーたちが、そうした新たな手法を最初に会得する人々になるだろう。

ウルトラ・ラーニングでキャリアアップ

ウルトラ・ラーニングが適用できる3つの分野

経済におけるスキルの二極化、学費の高騰、テクノロジーの進歩はすべて、グローバルな現象だ。それでは個人にとって、ウルトラ・ラーニングとは実際のところどのような存在になるのだろうか？

専門的スキルを素早く身につけるこの戦略が適用できる分野は、大きく3つに分けられると私は考えている。キャリアの加速、新しいキャリアへの移行、そして競争の激しい世界の中で、隠れた優位性を会得することである。

ウルトラ・ラーニングがキャリアをどのように加速させるのかを見るために、コルビー・デュランのケースを考えてみよう。彼女は大学卒業後、ウェブ制作会社で働き始めたが、キャリアをより速く前に進めたいと考えていた。そこで彼女は、コピーライティングを学ぶためのウルトラ・ラーニング・プロジェクトを進めた。

彼女は自分に何ができるかを積極的に上司に示し、その結果、昇進を勝ち取ることができた。何が重要なスキルかを考え、それを短期間で上達させるのに集中することで、キャリアアップを加速できるのである。

自分が望むキャリアへと移行する上で、学習が大きな障害になることがある。たとえばビシャル・マイニは、テクノロジー業界でマーケティングの仕事をするのに満足していたが、人工知能の研究に携わることを夢見ていた。

残念ながら、それには彼が身につけていない深い技術的スキルが必要だった。しかし6ヶ月のウルトラ・ラーニング・プロジェクトを行うことで、彼は希望する分野に転職できるほどのスキルを会得することに成功した。

最後に、ウルトラ・ラーニングは、自分が仕事で培ってきたスキルや資産を補強することができる。ダイアナ・フェーゼンフェルトは、生まれ故郷であるニュージーランドで何年間も司書として働いてきた。しかし彼女は、政府の予算削減とこの分野でのテクノロジーの発展を目にして、自分の仕事上の経験だけでは変化に追いついていけないのではないかと心配していた。

そこで彼女は、2つのウルトラ・ラーニング・プロジェクトを実施した。統計学とプログラミング言語「R」の習得と、データ可視化の学習である。これらのスキルは彼女の働いていた分野で需要があり、それを司書としての経歴に加えることで、彼女は不安定な立場から必要不可欠な存在へと抜け出すための道具を手に入れた。

ウルトラ・ラーナーたちを駆り立てた原動力

「仕事での成功」だけを目指しても続けることはできない

ウルトラ・ラーニングは、変化する世界に対応するための強力なスキルだ。専門知識を素早く学習する能力はますます重要になっており、したがって最初にいくらかの投資が必要になっても、それをできる限り開発する価値がある。

しかし私が会ったウルトラ・ラーナーたち（新しく得たスキルで最終的に多くの金銭的利益を得た人々を含む）の中で、仕事上での成功をモチベーションとしていたのはごくわずかだった。**それよりも、自分が何をしたいのかを示すビジョンや、強い好奇心、あるいは挑戦そのものが彼らを突き動かしていたのである。**

エリック・バロンは億万長者になりたくて5年間も孤独の中で情熱を追求していたのではなく、自分のビジョンに完璧に合う何かを創造するという満足感を求めていた。ロジャー・クレイグは賞金を獲得したくて「ジョパディ！」に挑戦したのではなく、子どもの頃から大好きだった番組で勝負したいと考えていた。ベニー・ルイスは技術翻訳者や人気ブロガーになろうとして言語を学んだのではなく、旅をしたり、その途中で出会った人々と交流したりするのが大好きだった。

最高のウルトラ・ラーナーとは、スキルを習得するための具体的な理由と、自分の愛してやまないものから得られたインスピレーションを融合させた人物なのである。

ウルトラ・ラーニングには、スキルの習得を超えた付加的なメリットもある。新しい何かを学ぶといった難しいことをすると、自己概念を高めることができる。いままでできなかったことが、できるかもしれないという自信を与えてくれるのだ。

ＭＩＴチャレンジの後、私は数学やコンピューター科学への関心が深まっただけでなく、自分の可能性が広がったという気持ちになった。これができるのであれば、他にも挑戦に二の足を踏んでいたことができるのではないか？　というわけだ。

学問の本質は、視野を広げ、以前は見えなかったものを見たり、自分の中に存在しているのに気づいていなかった能力を認識したりすることである。こうした可能性の拡張以上に、ウルトラ・ラーニングという集中的で献身的な努力を正当化するものはない。成功するための適切なアプローチを取れば、どんなことが学べるだろうか？　そしてどんな人物になることができるだろうか？

才能とは何か——テレンス・タオの場合

私たちに天才の真似はできるのか?

テレンス・タオは天才だ。彼は2歳までに、自力で文字が読めるようになっていた。7歳のときには、高校の数学の授業を受けていた。17歳のときに修士論文を書き、そのタイトルは「単生の調和核によって生成される畳み込み演算子」だった。その後彼はプリンストン大学で博士号を取り、フィールズ賞(「数学界のノーベル賞」と呼ぶ人もいる)を受賞して、現在では存命の数学者の中で最も優れた1人と見なされるまでになっている。

多くの数学者は極端に狭い領域の専門家(数学内の一分野という、特定の木にしか生えない珍しいランのような存在だ)なのだが、タオは驚くほど多くの分野に通じている。彼は日常的に他の数学者と協力して、さまざまな領域で重要な貢献をしている。そのため彼の同僚は、タオの能力を「英語の小説家が突如としてロシア語の小説の傑作を書くようなもの」[注4]と喩えている。

タオがどうしてこのような偉業を達成できるのか、明確な説明は行われていないようだ。彼は確かに早熟だったが、彼が数学で成功したのは、威圧的な両親が勉強を強いたからではない。子ども時代、タオはよく2人の弟たちと遊び、スクラブル(アルファベットが書かれたタイルを組み合わせて単語をつくるゲーム」のボードや麻雀牌を使ったゲームを考案したり、空想の世界の地図を描いたりしていた。普通の子どもと一緒だ。

また彼は、特に革新的な学習法も持っていないようである。ニューヨークタイムズ紙に掲載されたプロフィールで紹介されているように、彼は素晴らしい知性を持っていたことで、博士号を取るまで「土壇場での詰め込みという、一般的なテスト戦略」に頼ることができた。彼が自分の研究領域において頂点に達したとき、このアプローチは有効ではなくなったが、彼が長い間授業を楽々とこなしてきたという事実は、彼が独自の戦略というよりも、強い精神を持っていることを示している。天才というのはあまりに手あかのついた表現かもしれないが、タオの場合にはまさにこの言葉がふさわしい。

テレンス・タオを始めとする才能豊かな学習者たちは、ウルトラ・ラーニングの普遍性に大きな挑戦を突きつける。タオのような人々が、集中的あるいは独創的な学習方法を使わずに多くのことを成し遂げられるなら、他の優れた学習者たちの習慣や手法をわざわざ調査する必要があるのか？　というわけだ。

ルイス、バロン、クレイグの偉業がタオの才能のレベルには達していないとしても、彼らが成し遂げたことは、普通の人々にはない隠れた知的能力によるものかもしれない。もしそうなら、ウルトラ・ラーニングは検討すべき価値のあるものかもしれないが、その真似はできないということになる。

戦略や学習法によって凡人でも圧倒的な成果を出せる
どんなスタート地点に立っているかは関係ない

生まれつきの才能は、どのような役割を果たすのだろうか？　知性や生まれつきの才能の存在が認められた場合に、ある人物の成功の要因をどうやって検証できるだろうか？タオのような話は、学習能力を向上させたいと考えている人にとってどのような意味があるのだろうか？

心理学者のK・アンダース・エリクソンは、身長と体の大きさという先天的な特徴を除いて、何かを専門家のレベルで実行できるようになるために必要な性質の大部分は、特定の種類の練習を通じて変化させることができると主張している。

他の研究者たちは、人間の性質の順応性についてそれほど楽観視していない。多くの人々が、人間の知能の大部分は遺伝的に由来するものだと主張している。知能の大部分が遺伝子によって左右されるのであれば、ウルトラ・ラーナーたちがより効果的な学習法や戦略を使うことを参考にするのではなく、ウルトラ・ラーニング自体を考察する方が良いのではないか？

タオの数学における成功は、他の人が簡単に真似できるもののようには思えない。ウルトラ・ラーナーたちも一緒ではないのか？

私はこうした両極端の考え方の中間に立っている。生まれつきの才能というものが存在し、それがその人物の成否（特にタオのような最も高いレベルでの）を左右すると私は考える。一方で私は、戦略や学習法も重要だと考えている。本書を通じて、学習法を変えることがいかに成否に影響を与えるかを解説していこう。これから説明する原則は、適切に適用することで、皆さんをより優れた学習者へと変えるだろう――皆さんがどんなスタート地点に立っているかにかかわらず。

したがって、本書の中で誰かの物語を語る際の私のアプローチは、彼らの知的な成功の唯一の原因が何かを特定することではない。それは不可能であるだけでなく、有益でもない。その代わりに、ウルトラ・ラーナーたちの物語や秘話を紹介することを通じて、私たちが学習法を改善するためにできる実用的で有益な取り組みを明らかにしていきたい。

私が本書で紹介するウルトラ・ラーナーは、原則が現実においてどのように適用されるかを見るための実例となる存在であり、彼らとまったく同じ効果を得られることを保証するものではない。

ウルトラ・ラーニングのための時間を見つける
カスタマイズして自分なりの学習計画を立てる

ここまで読んで、皆さんの頭にはもう1つの疑問が浮かんでいるだろう。それは「これほど集中的な学習プロジェクトに割く時間をどのように見つけるのか」だ。いま仕事や学校、家庭の用事で忙しく、フルタイムで勉強することができないため、本書のアドバイスが役に立たないのではと心配しているかもしれない。

しかし実際には、それは問題にならないことが多い。生活の中で他の仕事や課題を進めなければならない場合でも、ウルトラ・ラーニングという発想を応用できる3つの方法がある。**それはパートタイムのプロジェクトの実行、長期休暇の取得、すでに行っている学習の見直しである。**

最初はパートタイムでのウルトラ・ラーニングの実行だ。学習が最も劇的な成功をもたらすのは、ウルトラ・ラーナーが膨大な量の時間をプロジェクトに費やした場合であることが多い。週50時間を学習に費やすことは、週5時間費やした場合よりも多くの結果をもたらすだろう。したがって、信じられないような成果が得られたケースでは、思い切ったスケジュールが学習に割かれていることが普通である。

とはいえ、これは物語としては面白いものの、実際には自分でウルトラ・ラーニング・プロジェクトを行う場合は不要な要件だ。ウルトラ・ラーニング戦略の核心にあるのは、効率性を最優先させる力強さと意思だ。それをフルタイムで行うか、週に数時間だけ行うかはあなた次第なのである。

第10章で解説するように、長期記憶の観点から言えば、スケジュールを分散させた方がより効率的である可能性もある。本書の中でウルトラ・ラーナーが集中的なスケジュールに取り組んでいる例を読んだ場合には、それを自分の状況に適用し、彼らと同じ効率的な戦術を、より緩やかなペースで実行するよう自由に調整してほしい。

第2の方法は、仕事や学校の長期休暇制度を利用してウルトラ・ラーニングを実行するというものだ。私がインタビューしたウルトラ・ラーナーたちの多くは、一時的な失業状態の期間や、転職で次の会社に移るまでの期間、学期末、長期休暇中にプロジェクトを実行していた。こうした期間は計画して取れるような確実なものではないが、取れることが事前にわかっている場合には、集中した学習に使うのが理想的だろう。

私がＭＩＴチャレンジに取り組んだ動機の1つがこれだ。私は卒業したばかりで、それまでの学生生活をもう1年間延ばすのは、4年間延ばすよりも簡単だったのである。もし同じプロジェクトをいま行うとしたら、もっと長い期間で、夕方や週末に時間を割いていただろう。現在の仕事は、学校から仕事への移行期に比べ、柔軟性に欠けているからだ。

そして第3の方法が、すでに学習に費やしている時間とエネルギーに、ウルトラ・ラーニングの原則を組み合わせることだ。最後にビジネス書を読んだときや、スペイン語、陶芸、プログラミングを習得しようとしたときを思い返してほしい。仕事で必要な新しいソフトウェアを学習したときはどうだっただろうか？　既存の資格を維持するために、スキルの習得を行ったときは？

ウルトラ・ラーニングは追加の活動である必要はない。すでに学習に費やしている時間に導入できるのである。学習の効果を最大化するための原則を、すでに行う必要に迫られている学習や勉強にどう応用できるだろうか？

才能に関する解説のところで述べたように、極端な例を見て、そこで使われているのと同じ原則を適用することを思いとどまらないでほしい。本書で紹介するものはすべて、カスタマイズしたり、既存の活動と組み合わせたりすることができる。重要なのは、効果的な学習に積極的に取り組むことであり、厳しいスケジュールではない。

ウルトラ・ラーニングの価値についての議論

誰でも習得可能な手法なのか？

専門的スキルを効果的かつ効率的に習得する能力は、非常に貴重なものだ。それだけでなく、経済や教育、テクノロジーにおける現在のトレンドは、この能力を持つ者と持たない者の差をさらに広げることになるだろう。

しかしこれまでの議論で、私はおそらく最も重要であろう質問を避けてきた。それは「ウルトラ・ラーニングは価値のあるものかもしれないが、それは学習可能なのだろうか？」というものだ。

ウルトラ・ラーニングとは、ずば抜けた才能を持つ人々の行動を描写したものにすぎないのだろうか？

それとも以前はウルトラ・ラーナーではなかった人々にも、習得することができるものなのだろうか？

第3章

ウルトラ・ラーナーになる方法

「喜んで実験台になるよ」――トリスタン・デ・モンテベロから届いたメールには、そう書かれていた。彼はフランス人とアメリカ人の親を持つ魅力的なミュージシャンだ。私がデ・モンテベロに初めて会ったのは、ベニー・ルイスと運命的な出会いをしたのと同じ頃で、彼は起業家として7年間活動していた。

彼は乱れたブロンドの髪と、短く刈り込まれたあごひげを持ち、まるでカリフォルニアのサーファーのように見えた。デ・モンテベロは誰もがすぐに好きになるタイプの人物だった。自信に満ちていながら、地に足がついていて、完璧な英語にはフランス語の訛りがほんの少ししか残されていなかった。

長年にわたって、私たちは連絡を取り合ってきた。その間私は、奇妙な学習実験に没頭していて、彼は世界中を飛び回り、パリのスタートアップで特注のカシミアセーターをつくったり、ギタリストをしたり、あてもなく放浪したりしていた。そして彼は最終的に、ロサンゼルスでウェブコンサルタントになった（彼にお似合いのビーチからほど近い場所だ）。彼は私が学習に関する本を書いていると聞いて興味を持ち、メールを送ってきたのだった。

彼はメールの中で、私が何十人というウルトラ・ラーナーたちに会い、素晴らしい学習上の偉業について記録したのかもしれないが、その会話のほとんどは事後に行われたのだろうと指摘した。確かに私がウルトラ・ラーナーたちにインタビューしたのは、彼らが成功し、その噂が流れた後であり、前ではない。つまり成功を観察しただけで、実験したわけではない。

そのため、ウルトラ・ラーニングがどれだけ身近なものかを正確に判断するのは難しかった。膨大な数の小石をふるいにかければ、その中から金の粒が見つかってもおかしくない。私がしたのもそれと同じで、極めて稀な学習プロジェクトを探していたにすぎないのだろうか？

十分な数の人々をふるいにかければ、信じられないような偉業を達成した人も見つかるはずだ。しかしウルトラ・ラーニングに私が期待するような可能性があるのなら、まだウルトラ・ラーナーではない誰かにそれを試してもらい、結果を見てみる価値はあるだろう。そこで私は実験のため、ウルトラ・ラーニングを試してみることに興味のある人々を集めて、十数人の小さなグループをつくった（その大部分は私のブログの読者だった）。その中には、デ・モンテベロも含まれていた。

誰でも「優れた学習者」になれるのか？
「普通の人」を「ウルトラ・ラーナー」に変える実験

「ピアノなんてどうかな」とデ・モンテベロは提案した。彼はウルトラ・ラーニングというコンセプトに興味を持っていたものの、どんなスキルを学ぶかについては、まったくアイデアがなかった。彼はギターを弾き、バンドではリードボーカルを務めたこともあった。そうした音楽の経験を考えると、ピアノを習うのは彼にとって比較的安全な選択のように思えた。彼はオンライン上でギターを教えるコースまでつくっていたので、他の楽器が弾けるようになれば、ビジネスを拡大できる可能性もあった。

しかし私は自分の勝手で、彼に自分の安全地帯を離れて、何か別のものにチャレンジするように告げた。ミュージシャンが新しい楽器に挑戦するというのは、ウルトラ・ラーニングが広く応用できるかどうかを知るための理想的な研究対象には思えなかったのである。

そこでいくつかのアイデアを提案した。1～2週間後、彼はスピーチに取り組むことを決めた。彼はミュージシャンなのでステージに立った経験はあったが、それを除けば、人前で話をする機会はほとんどなかった。スピーチも有益なスキルであり、努力から注目に値するような結果が得られなかったとしても、上達することに価値があると彼は訴えた。

デ・モンテベロには、人前で話すのが上手くなりたいという動機があった。彼はこれまでの人生で、ほんの数回しかスピーチをしたことがなく、そのほとんどが大学生のときの話だった。彼は過去の経験の一例として、パリのウェブデザイン会社で、十数人の聴衆を前に講演を行ったときの話をしてくれた。「思い出すたびにぞっとするよ」と彼は言った。「話が伝わっていないのがわかるんだ。僕の話に飽きているんだな、と感じるところがいくつもあった。面白くて笑ってしまうようなジョークも、誰にも受けないんだよ」

ミュージシャンであるということが、人前でのスピーチといかに無関係なのかに彼は驚いていた。それでも彼は、スピーチを上達させることに価値を見出していた。「スピーチっていうのはメタスキルなんじゃないか」と彼は感じていた。それは他のスキルを補助するようなスキルということだ。「自信やストーリーテリング、創造性、面接スキル、営業スキル。そうしたいろんなスキルに、スピーチは関係していると思うんだ」。彼はそう考えて、プロジェクトに取りかかった。

ウルトラ・ラーニングの第1ステップ

「どうやって学べばいいのか」を把握する

学習するトピックは決まったが、デ・モンテベロはどうやってそれを学べば良いのか、正確にはわかっていなかった。そこで彼は、スピーチ教育の団体であるトーストマスターズ・インターナショナルのイベントに参加してみることにした。

この時点で、彼には幸運な点が2つあった。1つは彼のプロジェクトに、マイケル・ジェンドラーが関わってくれたことである。ジェンドラーは長きにわたって司会を仕事としてきた人物で、デ・モンテベロの魅力と、スピーチを上達させたいという熱意に共感し、コーチになることを承諾したのである。もう1つの幸運は、デ・モンテベロが当時は認識していなかったものだ。彼がプロジェクトを始めたのは、世界スピーチ選手権の参加受付が締め切られるわずか10日前だったのである。

世界スピーチ選手権は、トーストマスターズが毎年開催しているコンテストで、挑戦者はまず個々のクラブで行われる予選に参加し、勝ち残るとより上位の予選へ進めるという形式になっている。そしてごくわずかな挑戦者だけが、ファイナルステージに進むことができた。

デ・モンテベロに残されていた準備期間は、1週間と少ししかなかった。それでもこのコンテストは、彼のウルトラ・ラーニング・プロジェクトを進める上でちょうど良い目標になりそうだった。そこで彼は参加を決め、翌週には参加条件であった6つのスピーチを行い、ぎりぎりで参加資格を得ることができた。

デ・モンテベロは熱心に学習を行い、1日に2回スピーチすることもあった。彼はすべてのスピーチをビデオで撮影し、自分の欠点を徹底的に分析した。そしてスピーチのたびに他人からのフィードバックを求め、それを数多く得るようにした。

デ・モンテベロのコーチとなったジェンドラーは、彼を安全地帯から引きずり出し、そこから遠く離れたところまで追い詰めた。あるときデ・モンテベロは、既存のスピーチを磨き上げるか、新しいスピーチをつくるかの選択に迫られた。ジェンドラーにどうすべきか尋ねたところ、彼はデ・モンテベロに、どちらでも良いが、自分がやりたくない方を選ぶようにと告げた。

ジェンドラーが執拗に彼を追い込んだことで、デ・モンテベロは以前であれば決してしなかったであろうことまでするようになった。彼は自然にスピーチが出てくるようになるように、即興スピーチの授業も受けた。その中で彼は、頭に浮かんだものを信じ、それをためらわずに口に出すことを学んだ。それによって彼は、ステージ上でつかえたり、恐怖で凍りついたりすることがなくなった。

また彼は、ハリウッドで監督をしている友人に、自分のスピーチについてフィードバックしてくれるよう頼んだ。彼はデ・モンテベロに対して、同じスピーチをいくつもの違ったスタイルで行ってみるように（怒りながら、単調に、叫びながら、ラップのようにといった具合だ）アドバイスした。

それから普通にスピーチしてみて、通常の自分の声と何が違うかを確認してみるのである。デ・モンテベロによれば、これによって自然なスピーチができるようになったという。以前は普通に話していても、どこか不自然な感じがしていたのだが、それを矯正することができたそうだ。

演劇の経験がある別の友人は、ステージに立つ際のアドバイスをくれた。彼はデ・モンテベロのスピーチを見て、個々の単語やセンテンスが、ステージ上での動きや立ち位置にどのように変換できるかを示した。そのためデ・モンテベロは、スポットライトの下で立ちすくむのではなく、ステージ上を優雅に動き回り、言葉の上に体の動きをのせてメッセージを伝えることができるようになった。

さらに彼は、中学1年生の前でスピーチを行った。彼らが最も残酷なフィードバックをする年頃だということを理解した上で、である。トーストマスターズという慣れた世界の外で悲惨な目にあった後で、彼はステージに上がる前に聴衆と話すということを知った。

聴衆の言葉や感情を理解して、彼らとつながるのである。そうすることで、彼はその場に合わせて即座にスピーチを変え、新しい聴衆たちとも気持ちを通わせられるようになった。

そして何より、ジェンドラーが容赦なくデ・モンテベロを追い込んでいった。あるとき彼は、デ・モンテベロのスピーチを聞いた後で、「私の気を引きなさい」と言った。「なぜこの話が君にとって重要なのか、それはわかる。しかし聴衆は君のことなんか気にしやしない。皆の気を引かないといけないんだ」

幅広いアドバイスと膨大な練習によって、こうした教訓がデ・モンテベロの体に深く浸透し、最初はステージ上でぎこちない動きをしていた彼も、その段階を短期間で抜け出すことができた。

1ヶ月後、デ・モンテベロはトーストマスターズで20年の経験を持つ相手を破り、地区予選を勝ち抜いた。そして区域予選、ディビジョン予選も突破し、スピーチへの挑戦を始めてから7ヶ月も経たないうちに、世界選手権に出場することになった。「毎年この大会には、3万人くらいが参加するんだ」と彼は教えてくれた。「僕は間違いなく、史上最も短い期間でここまでこられた人物だと思うよ。始めるのが10日遅かったら、参加すらできなかったからね」

そして彼は、ついにトップ10にまで上り詰めた。

準決勝進出、そしてキャリアチェンジへ

継続すれば新しいスキルは必ず身につく

「このプロジェクトが自分にとって大きなものになることは、始めたときからわかっていたよ」と、デ・モンテベロは国際大会でトップ10に選ばれてから数ヶ月後に語ってくれた。「しかしそれが、文字通り人生を変えてしまうほどになるとは思わなかったけれど」

世界選手権で決勝に進出するというのは大変な旅路だったが、自分がどれだけのことを学んだのかを、彼は後から理解した。「僕はスピーチという、すごく狭い世界に取り組んでいたんだ。それを通じて得られた、ストーリーテリングや自信、コミュニケーションといったスキルの奥深さを実感したのは、後になってからだった」

デ・モンテベロの成功を耳にした友人たちは、自分のスピーチも手伝ってほしいと彼に尋ね始めた。彼とジェンドラーは、他人がスピーチスキルを向上させるのを支援することに、ビジネスチャンスを見出した。そこに大きな需要があるのは明らかだった。

1回の講演料が数万ドルにも達する著名な作家が彼らの元を訪れ、ウルトラ・ラーニング方式でスピーチのスキルを向上できないかと尋ねてきたのである。

すぐに彼らは最初の顧客を獲得し、2万ドルという大金を手にした。しかしジェンド

ラーとデ・モンテベロは、傭兵になる気はなかった。彼らは自分が本当に信じているメッセージを伝えようとしているスピーカーたちに集中したかったのである。

しかしそうしたステータスの高い顧客を惹きつけられたという事実に自信を持った彼らは、フルタイムでスピーチのコーチをすることを決意した。そしてこの成功を可能にした戦略にちなんで、彼らは自分たちのコンサルティング会社を「ウルトラスピーキング」と名づけた。

デ・モンテベロの物語は、私たちが当初想定していたよりもはるかにドラマチックなものになった。彼が最初に望んでいたのは、数ヶ月熱心に練習し、どこかで素晴らしいスピーチをして、それを録画してもらうことだった。素晴らしい記念品と新しいスキルを手に入れて終わり、というわけだ。スピーチの国際大会に出場して、最終的に転職しようなどと思っていたわけではない。

ウルトラ・ラーニングについてコーチした他の十数名のうち、これほど劇的な結果をもたらした人はいなかった。途中で脱落した人もいれば、仕事や生活との両立が難しくなった（あるいは当初考えていたほどには熱心ではなかった）人もいた。一方でデ・モンテベロほどの成功ではなかったものの、医学や統計学、漫画、軍事史、ヨガといった分野で大幅に知識やスキルを身につけた人もいた。

デ・モンテベロが他の人々と異なっていたのは、ほとんど経験がなくても6ヶ月で世界選手権の決勝進出ができると思ったことではない。違ったのは、彼の偏執的な労働観だった。**彼の目標は、あらかじめ決められた限界に到達することではなく、自分がどこまで行けるのか確認することだった。**

幸運に恵まれて、はるか遠くまで行ける道を選べることもある。しかしウルトラ・ラーニングでは、失敗した場合でもかなりのスキルを身につけられることが多い。私がコーチをした十数名のメンバーも、デ・モンテベロほどの成功は収められなくても、プロジェクトを続けた人は望んでいた新しいスキルを手にすることとなった。

世界選手権に出場したり、キャリアを完全に変えたりすることはできないかもしれないが、ウルトラ・ラーニングに取り組む限り、何か新しいことを学べるのである。デ・モンテベロの例が私に示してくれたのは、誰もがウルトラ・ラーナーになれる可能性があるということだけでなく、そうした成功は、天才やある種の才能を持つことの結果というわけではまったくないという点だ。

デ・モンテベロがピアノを弾くことに固執していたとしたら、彼とスピーチとの関係は、パリにいた頃に気まずい思いをしたという時点で止まってしまっていただろう。

ウルトラ・ラーナーになるためには？

私が見つけた9つの原則

デ・モンテベロの事例は、ウルトラ・ラーナーに「なろうと思ってなる」ことが可能だと示している。しかしウルトラ・ラーニングは型にはまった手法ではない。すべてのプロジェクトがそれぞれ異なり、したがってそこで必要とされる手法も異なる。

ウルトラ・ラーニング・プロジェクトが独自性を持つことは、そのすべてに共通する要素の1つだ。もしウルトラ・ラーニングを標準化できれば、それは構造化された教育の強力な一形態となるだろう。

しかしウルトラ・ラーニングを興味深いものにしている要素は、同時にそれをステップ式の手順へと整理するのを困難にしているのである。

難しい挑戦だが、まずは原則を整理するところから始めてみたい。原則を使えば、これまで遭遇したことのないような問題でも、レシピや機械的な手順では不可能な手段を通じて解決することができる。たとえば物理学の原則を本当に理解していれば、そこから出発して考えていくことで新しい問題を解けるのである。原則は世界を解明し、特定の問題をどう解決すべきかを常に示してくれるわけではないにしても、大きな指針を与えてくれる。

私の考えでは、ウルトラ・ラーニングは誰かの手順をそのままコピーして実行するのではなく、シンプルな原則を通じて考えたときに最も効果がある。

本書の第4章からは、ウルトラ・ラーニングの原則に焦点を合わせる。各章において原則を解説し、それを裏づける証拠として、ウルトラ・ラーニングの事例と科学的な研究の両方を紹介する。最後に、この原則を具体的な戦術として活用する方法について解説する。そうした戦術はほんの一例にすぎない。しかしそれは、皆さんが自分のウルトラ・ラーニング・プロジェクトについて創造的に考える際の出発点となるだろう。

これまで解説してきたウルトラ・ラーニング・プロジェクトの根底には、9つの普遍的な原則が存在している。それぞれの原則が、成功した学習の特定の側面を具現化したものだ。ウルトラ・ラーナーたちが各自のプロジェクトにおける選択を通じて、各原則の効果をいかに最大化しているかを解説していこう。

原則1　メタ学習——最初に地図を描く

取り組むテーマやスキルをどのように学ぶか、を学ぶところからスタートする。優れた準備を行う方法や、新しいスキルをより簡単に習得するために、自分がすでに持っている能力を活用する方法を考える。

原則2　集中——ナイフを研ぎ澄ます
集中力を養う。勉強に集中できる時間帯をつくり出し、学習に取り組むことが簡単にできるようにする。

原則3　直接性——一直線に進む
上達したいことに取り組みながらそれを学ぶ。他の学び方の方が便利だったり、快適だったりするからといって、そちらを選んだりしない。

原則4　基礎練習——弱点を突く
自分の弱点を徹底的につぶす。複雑なスキルを細分化して、それを1つ1つマスターしていき、最後に再構築する。

原則5　回想——学ぶためにテストする
テストは単なる知識を評価する手段ではなく、知識を創造する手段だ。何かが身についたと自信を感じる前にテストし、それを受動的に思い出すのではなく、能動的に思い返すようにする。

原則6　フィードバック——パンチから逃げない

フィードバックはつらく、不快なものだ。しかしそれをエゴで避けてしまうのではなく、活用する方法を知っておく。無駄なアドバイスと有益なアドバイスを区別して、何に注意すべきかを理解する。

原則7　保持——穴の開いたバケツに水を入れない

何を、どうして忘れてしまうかを理解する。いまだけでなく、これから先ずっと覚えておけるように学習する。

原則8　直感——構築を始める前に深掘りする

遊んでみたり、概念やスキルについて深く考えたりすることで、直感を養う。理解というものがどのように行われるかを理解し、小手先の暗記術に頼って、何かを深く理解するのを避けてしまうことのないようにする。

原則9　実験——安全地帯の外に出て探求する

これらの原則はすべて、出発点にすぎない。何かを本当にマスターしている状態には、すでに他人が通った道をたどるだけでなく、まだ想像すらされていない道を進むことでも到達できる。

私はこの9つの原則を、私自身の個人的な経験と、他のウルトラ・ラーニング・プロジェクトの観察に基いて整理し、また可能な場合には認知科学に関する膨大な研究成果も参照した。

最初はウルトラ・ラーナーたちの観察だった。ある人が何らかの方法で何かを達成したとしたら、それは興味深い事例かもしれないが、その人物しか持たない何かがあったのかもしれない。

しかし何人かの人々、あるいは私が会ったすべてのウルトラ・ラーナーが共通のやり方をしていたとしたら、それは一般的な原則が存在することを示す強力な証拠になるだろう。

それから私は、整理した原則を学術論文と照らし合わせた。この戦術を支持する認知科学上の発見やメカニズムはあるだろうか？　さらに言えば、ある学習法を別の学習法と比較する対照実験は行われているか？　といった具合である。そして科学的な研究は、私が目にしたウルトラ・ラーナーの学習戦略の多くを支持していた。このことは、効率と効果を徹底的に追求するウルトラ・ラーナーが、学習の技術における普遍的な原則に到達した可能性を示唆している。

そして原則や戦術の範囲を超えた、より広い「ウルトラ・ラーニング精神」とでも呼ぶ

べきものがある。それは自分の学習に自分が責任を持つことだ。自分で何を学ぶか、どう学ぶかを決め、自分で計画を立てるのである。自分が責任者であり、結果に対する最終的な責任を負うのだ。その精神でウルトラ・ラーニングに取り組むのであれば、先ほどの原則を厳格なルールではなく、柔軟なガイドラインとして受け入れるべきだ。

良い学習とは、処方箋をうのみにすることではない。自分自身で試行錯誤し、直面している学習上の課題の本質は何かを考えて、それを克服するための解決法をテストする必要がある。これを念頭に置いて、ウルトラ・ラーニングの最初の原則である「メタ学習」について考えてみよう。

第4章

原則1 メタ学習

最初に地図を描く

私が遠くまで見渡せていたのであれば、
それは巨人の肩の上に乗っていたからだ。
——アイザック・ニュートン

ダン・エバレットは満員の講堂で聴衆の前に立っている。彼は60代前半のがっちりとした体格の男で、薄いブロンドの髪を持ち、あごひげをたくわえている。そして笑顔で、ゆっくりと自信を持って話す。彼の隣には、棒や石、葉っぱ、容器、果物、水の入ったピッチャーなど、さまざまな物が置かれたテーブルがある。それは何か、デモンストレーションが始まることを示していた。部屋の右側の扉から、濃い茶色の髪と褐色の肌をした太った中年女性が入ってきて、ステージの方に近づく。エバレットは彼女に近づき、彼女が理解できない言葉で何かを言う。女性は辺りを見回し、明らかに困惑した表情で、ため

らいながら「クティ・パオカ・ジャロウ」と答える。[注1]

エバレットは彼女がいま言ったことを繰り返そうとする。最初は上手くいかなかったが、何度か試すと、彼女は満足したようだ。彼は黒板に向かって、「クティ・パオカ・ジャロウ⇒挨拶（?）」と書く。次に彼は小さな棒を拾い上げ、それを指し示す。女性はエバレットが名前を知りたがっているのだと理解して、「ンキンド」と答える。彼は再び黒板に向かい、「ンキンド⇒棒」と書き入れる。そして彼が2本の棒を拾い上げると、女性は同じように「ンキンド」と答える。彼が持っていた棒を落とすと、女性は「ンキンド・パウラ」と答える。

デモンストレーションはさらに続き、エバレットが何かを手にしたり、行動したりして、女性の返答に耳を傾け、結果を黒板に記してゆく。それから彼は、単純な受け答えから離れて、より複雑な文を要求する。「彼女は水を飲む」「あなたはバナナを食べる」「石を容器に入れる」といった具合だ。新しい言葉を引き出すたびに、彼は実験し、新しい文をつくり、自分が正しいかどうかを確かめるため彼女の反応をテストする。30分も経たないうちに、名詞や動詞、代名詞、発音記号で埋め尽くされた黒板が2枚完成した。

新しい言語について何十もの単語やフレーズを学ぶことは、それがどんな言語でも、初めて触れる30分間を過ごすのに良い出発点となる。エバレットのデモンストレーションを特に印象的にしているのは、彼が話し手と共通の言語を話すことが許されていないという点だ。[注2] 彼にできるのは、相手に向かって言葉やフレーズを話し、それを繰り返して、文法や発音、語彙を探り出すことだけである。彼は何語が話されているのかすら知らないのだ。[注a]

私たちの多くが高校のスペイン語のクラスで苦労しているというのに、どうしてエバレットは教師や翻訳者をつけずに、さらには自分が学んでいるのが何語かも知らずに、まったくゼロの状態から新しい言語を話せるようになれるのだろうか？ なぜエバレットは、そうしたハードルがある状態であっても、私たちよりもずっと早く語彙を習得し、文法や発音を理解できるようになるのだろうか？ 彼は言語の天才なのだろうか、それとも別の何かが起きているのだろうか？

その答えこそ、ウルトラ・ラーニングの第1の原則である「メタ学習」だ。

メタ学習とは何か？

1つ目の原則「学習について学習すること」

「メタ」という接頭語は、「～を超えて」を意味するギリシャ語の「μετά」に由来する。それは特に、何かがそれ自体を説明しているか、抽象化においてより上位の層を扱っていることを示している。**今回の場合、メタ学習とは「学習について学習すること」を意味す**

る。例を挙げよう。あなたが漢字を習っていたら、「火」が「ファイヤー」という意味だと教わるはずだ。これが普通の学習である。一方であなたは、漢字が「偏」や「つくり」と呼ばれるもので構成されることが多いと教わるだろう。それらはその文字が何を表しているのかを示唆してくれる。たとえばかまどを意味する「灶」という漢字には、左側に「火」が含まれているが、これによって「灶」が火に関係する言葉であることが示されているのだ。

こうした漢字の特性を学習することは、メタ学習の1つだ。学習の対象そのもの、この場合は単語やフレーズについて学習するのではなく、知識がどのように構成されており、どのように獲得できるかを学ぶのである。つまり学習について学習する、というわけだ。

エバレットのケースでは、表面のすぐ下にある膨大な「メタ学習」の価値を見ることができる。

「では、私たちがこの作業を通じて把握できたことは何でしょうか？」

短いデモンストレーションの後で、エバレットは聴衆に向かって問いかけ、続けてこう結論づけた。「SVO形式、つまり主語（Subject）・動詞（Verb）・目的語（Object）のように並ぶ言語のようですね、悪くありません」。そして彼は、次のように続ける。「名詞に複数形はないように思いましたが、それがトーンで表されていて、私が聞き落としただけかもしれません……ここでは明らかにピッチが変わっていますね。それがトーンかどうかは、分析の余地があります」

こうした専門用語から、エバレットが話し相手から単語やフレーズを引き出したとき、彼が単にそれをおうむ返ししているだけではないことがわかる。彼は長年にわたる語学学習の経験に基いて、これから学ぼうとする言語がどのように機能するかに関する理論と仮説から、「地図」を描いているのだ。

言語学者としての膨大な知識に加えて、エバレットには大きな強みとなる別のテクニックがある。彼が行ったデモンストレーションは、彼自身が発明したものではない。「モノリンガル・フィールドワーク」デモンストレーションと呼ばれるこの手法は、エバレットの師であるケネス・パイクによって、土着の言語を学ぶ方法として開発された。この手法では、対象となる言語の全体像をつかむ出発点として使うことのできる、一連のオブジェクトと行動が整理される。また２０１６年のＳＦ映画『メッセージ』の中で、架空の言語学者であるルイーズ・バンクス博士が異星人の言語を解読するためにこの手法を使ったことで、ハリウッドでも話題になった。

エバレットが持つ２つの言語学上の武器――言語がどのように機能するかに関する詳細な地図と、流ちょうな言語力を身につけるための手法――は、単純な文章を学ぶ以上のことをエバレットが成し遂げるのを可能にした。彼はこの30年間で、アマゾンの人里離れたジャングルに住む民族しか話さない「ピダハン語」（世界で最も風変わりで難解な言語の1つだ）を使うことのできる、ほんの数名の部外者の1人となった。[注3]

メタ学習の地図が持つ力
ウルトラ・ラーニング・プロジェクト成功のカギを手に入れろ

エバレットの事例は、新しいことをより速く、効果的に学ぶためにメタ学習を使うことの力を明確に示している。ある知識がどのように機能するのか、どのようなスキルと情報を習得する必要があるのか、どのような方法を使用すればより効果的に習得できるかを理解することが、すべてのウルトラ・ラーニング・プロジェクトの成功のカギとなる。

メタ学習は地図を描き、迷わず目的地にたどり着く道を示してくれるのだ。

なぜメタ学習がそれほど重要なのかを理解するために、すでに外国語を知っていて、それが第2外国語を学ぶ際にどのような効果を発揮するかに関する研究を紹介しよう。[注4]

この研究はテキサス州で行われ、英語しか話さない人々と、英語とスペイン語を話すバイリンガルの人々が被験者となって、彼らにフランス語を学んでもらった。その後の調査で、新しい言語を学ぶ際、バイリンガルの話者の方がそうでない話者よりも優れていることが示された。

ここまでは驚くような話ではない。フランス語とスペイン語はともにロマンス語であるため、英語にはない文法やボキャブラリーに共通点があり、それが学習に有利に働くと考えられる。**しかし興味深いのは、英語とスペイン語のバイリンガルの中でも、スペイン語の授業を受けたことのある人は、フランス語を学習したときにも成績が良かったことだ。**

その理由は、授業を受ける行為が、研究者らが「メタ言語知識」と呼ぶものを形成するのに役立つためと思われる。これは単に言葉を知っているというだけでは身につかない。2種類のバイリンガル話者の違いは主に、メタ学習の有無に基いていた。一方のグループは言語の内容に関する知識を持っていたが、スペイン語の授業を受けたことのあるグループはそれに加え、言語というものがどのように構造化されているのかに関する知識を持っていたのである。[注b]

また、メタ学習に関するこの考えは言語に限定されない。言語学の例では、メタ学習と通常の学習が明確に分かれているため、研究しやすいことが多い。

これはメタ学習の構造が同じでも、無関係な言語の内容（語彙や文法など）は大きく異なることが多いためである。フランス語の語彙を学ぶことは、中国語の語彙を学ぶのにはあまり役立たないが、フランス語の語彙習得の仕組みを理解することは、中国語を学ぶ際にも役立つだろう。

私が1年間、友人とともに語学学習の旅に出ていたとき、最後の国に到達する頃には、自分を新しい言語に没頭させ、それをゼロから学ぶというプロセスは日常的なものになっていた。韓国語の単語や文法はまったく新しいものだったかもしれないが、学習の過程は、すでに何度も繰り返されていたのである。メタ学習はあらゆる学習対象に存在するが、通常の学習から切り離した形でそれを調べるのは難しいことが多い。

どうやって地図を描くか?

「メタ学習準備」と「メタ学習スキルのストックを増やす」という2つの方法

ウルトラ・ラーニングとは何か、そして速く学習するためにウルトラ・ラーニングがいかに重要か理解できたいま、次の質問は「どうすればそれを自らの学習に役立てることができるか」である。それには2つの方法がある。短期的なものと、長期的なものだ。

短期的には、学習プロジェクトの前後に、メタ学習の改善に焦点を合わせた準備を行うことができる。ウルトラ・ラーニングは集中的で、自己管理型の学習であるため、普通の学校で行われている教育よりもはるかに多様性がある。**そして優れたウルトラ・ラーニング・プロジェクトでは、素晴らしい教材が用意され、学習者は何を学ぶべきかを認識して**

いるため、正式な学校教育よりも早く完了できる。

学ぼうとする言語の環境に集中的に没入するタイプの語学学習は、教室で長い時間をかけて行う学習よりも効果が得られる場合がある。プログラミング・ブートキャンプ〔新兵の訓練施設や訓練プログラムを指す言葉で、転じて何かを短期間で集中的に行うイベントを指す場合にも使われる〕の参加者は、大卒の人々と職を競えるレベルにまで、彼らよりもずっと短い期間で到達することができる。これは学校で行われている「1つのやり方を全員に当てはめる」というアプローチを避け、プロジェクトを学習者のニーズや能力に合わせて調整できるためだ。

しかし誤った選択がなされて、通常より悪い結果を招く危険性もある。「メタ学習準備」は、この危険を回避して、現状よりも大きな効果を得られる可能性を探るのに役立つ。

長期的には、ウルトラ・ラーニング・プロジェクトに取り組めば取り組むほど、身につく一般的なメタ学習スキルも増えてゆく。自分の学習に対する能力がどの程度のものか、どうすれば時間とモチベーションを最も良い形で管理できるかを理解するようになり、一般的な問題に対処できる、効果が十分に検証された戦略を手に入れられるのである。そしてより多くのことを学べば学ぶほど、より大きな自信を得られるようになる。そうなればよりフラストレーションのない形で、多くの学習プロセスを楽しめるようになるのだ。

本章では、紙面の大部分を、短期的なメタ学習をどう行うかについての解説に割く。それが皆さんにとって最も有益になる可能性があるからだ。とはいえそれは、メタ学習の長期的な効果の重要性を否定するものではない。

ウルトラ・ラーニングは、自転車に乗るのと同じスキルの一種だ。練習をすればするほど、それを上達させるためのスキルや知識が増える。この長期的な利点は、短期的な利点を上回る可能性が高く、他人が見たときに知性や才能と勘違いされやすいものだ。

皆さんがウルトラ・ラーニングの経験を積むにつれ、こうしたスキルの多くを自動的に適用し、より迅速かつ効果的に学習できるようになっていくことを願っている。

「なぜ」「何を」「どうやって」を決める

「メタ学習準備」は3つの質問に分解して考える

特定のウルトラ・ラーニング・プロジェクトのためにメタ学習の準備を行う際、それを「なぜ」「何を」「どうやって」という3つの質問に分解して考えるとわかりやすい。

「なぜ」すなわち何らかのスキルや知識を学びたい理由がはっきりしていると、自分にとって最も重要なことにプロジェクトの焦点を合わせることが可能になり、多くの時間を節約できる。

「何を」とは、プロジェクトを成功させるために必要となる知識や能力を指している。物事を概念、事実、行動に細分化すると、これから直面する障害を把握し、それを乗り越えることが可能になる。

「どうやって」は学習の際に使用する資源、環境、方法を指す。ここで慎重な選択をすることで、全体的な効果に大きな違いが出る場合がある。

これら3つの質問を念頭に置いて、それぞれの内容と地図の描き方を見ていこう。

「なぜ」に答える

実利のために学ぶのか、興味のために学ぶのか

最初の質問は、「なぜ学習するのか」そして「それがプロジェクトへのアプローチ方法にどのような意味を持つのか」である。たいていの場合、皆さんが取り組むプロジェクトは、大きく分けて「実利があるから」もしくは「自分にとって本質的だから」のいずれかの動機に基いたものになるだろう。

実利的学習プロジェクトは、学習以外の効果を得ることを目的として何かを学ぶことである。前述のダイアナ・フェーゼンフェルトの例を考えてみよう。彼女は司書として数十

年を過ごした後で、自分の仕事が時代遅れになってきていることに気づいた。ファイルシステムのコンピューター化と予算の削減によって、彼女は後れを取らないために、新しいスキルを習得しなければならなくなった。

彼女はいくつか準備作業を行って、そのための最善の方法は、統計とデータの可視化をしっかり身につけることだという結論に達した。このケースでは、彼女が学習した理由は統計やデータ可視化が好きだったからではなく、それが自分のキャリアに役立つと考えたからである。

本質的学習プロジェクトは、自分自身の興味のために何かを学ぶことである。そうすることが何に役立つのかわからないのに、ずっとフランス語を学んでみたいと思っていたとしたら、それは本質的学習プロジェクトだ。本質的だからといって、実利的でないというわけではない。フランス語を学ぶことは、後で旅行するときや、フランスのクライアントと一緒に仕事をする必要が生まれたときに役立つかもしれない。違いは、学習の目的が他の結果を得ることではなく、学習自体にあるという点だ。

主に実利的な理由でプロジェクトを行う場合、準備に追加のステップを入れることをお勧めする。それは「対象となるスキルやトピックを学習することが、目標を達成するのに実際に役立つかどうかを判断する」というものだ。

自分のキャリアに不満を持ち、大学院に行くことが答えになると考える人たちの話を耳にすることが多い。たとえばＭＢＡ（経営学修士）さえあれば、会社にもっと重用してもらえて、望み通りのキャリアを歩めるのにといった具合である。そして彼らは会社を休んで2年間大学院に通い、数万ドルの学生ローンを抱えながら、結局は新たに手にした資格が、以前よりも良いチャンスをもたらしてくれるわけではないことに気づくのだ。この問題を回避するには、先に準備を行う必要がある。学習を始める前に、学習するトピックが望むような効果をもたらすかを判断するのである。[注5]

エキスパートインタビュー法

この種の準備を行う主な方法は、自分が達成したいと思っていることをすでに達成した人々にインタビューしてみることだ。仮にいま建築家になりたいと思っていて、設計のスキルを身につけるのが最善のステップだと考えているとしよう。その場合、プロジェクトを始める前に成功した建築家と話をして、自分のプロジェクトが意図した目標に実際に役立つと思うか尋ねてみるのが良いだろう。

この方法は準備作業の多くの部分で活用できるが、特に実利的学習プロジェクトを検討する際に役立つ。自分の達成したい目標をすでに達成している人物が、いま検討している学習プロジェクトが達成に役立つとは思わないか、他のスキルを習得する方がより重要性が高いと考えたとしたら、それは自分の意図とプロジェクトが一致していないことを示している。

インタビューの相手を見つけるのは、思ったほど難しくない。目標がキャリアに関係するものであれば、希望するキャリアを歩んでいる人を探して、メールを送ってみると良い。あるいは現在の職場や、仕事関係のカンファレンス、セミナー、さらにはツイッターやリンクトインなどのSNSでも見つけられるだろう。目標が仕事以外に関係しているのであれば、知りたいテーマに特化したフォーラムをオンラインで検索できる。

たとえば独自のアプリを開発したくてプログラミングを学ぼうとしている場合、プログラミングやアプリ開発に特化したオンラインフォーラムを見つけることができる。あとは得たい知識を持っていると思われる投稿者を探して、連絡を取れば良い。

専門家にインタビューするのは難しいことではないのだが、多くの人々は敬遠してしまう。特に内向的な人々は、知らない人にアドバイスを求めることすら躊躇する。彼らは拒絶されたり、無視されたり、時間を取らせるなと怒鳴られたりするのではないかと心配しているのだ。実際には、そうしたことはめったに起きない。**ほとんどの専門家はアドバイスを惜しまず、誰かが自分の経験から学びたいと思うことを光栄に感じる。**

重要なのは、シンプルで要点を整理したメールを作成し、なぜ彼らに連絡を取ろうと考えたのかを説明して、簡単な質問をするために15分時間を取ってもらえるかを尋ねることだ。メールは簡潔にし、威嚇するような内容にならないよう注意する。15分以上の時間を要求したり、継続的な指導を求めたりしないこと。専門家の中にはそれを厭(いと)わない人もいるが、最初のメールで多くを要求するのは適切ではない。

インタビューしたい人が近くに住んでいない場合はどうだろうか？

その場合は、電話やオンライン通話が代替手段となる。[注c] メールは困ったときにも使えるが、テキストでは気持ちが上手く伝わらないことが多く、相手が自分のプロジェクトにどのような感情を抱いているかを感じられないことも多い。「それは良いアイデアだ」という言葉は、適当に言うのと、熱心な態度で言うのとでは意味が大きく違ってくる。しかしテキストだけでコミュニケーションすると、このニュアンスは失われてしまう。

本質的学習プロジェクトの場合でも、「なぜ」に答えるのは非常に有効だ。見習うべき学習計画の多くは、学習者にとって何を学ぶのが重要かを検討した上で、その考えに基いて作成されている。それが自分の目標と完全に一致していないと、自分にとって重要ではないことを学ぶのに長い時間を費やしてしまったり、本当は重要なことを過小評価してしまったりするだろう。

自分が何を学びたいと思っているのかを自問自答した上で、いくつかの学習計画を立ててみて、それらを自分の目標の観点から評価してみるのが良い。

「何を」に答える

「概念」「事実」「行動」に分けて学習対象を把握する

なぜ学習するのかを考えたら、対象とする知識がどのように構成されているのかを調べ始めることができる。そのための良い方法は、紙に「概念」「事実」「行動」という3つの欄をつくって情報を書き出し、それをブレインストーミングすることである。**この段階でリストがすべて書き出されているか、あるいは内容が正確であるかは問題ではない。**後でいつでも修正できる。この段階での目標は、ラフな草案をつくることだ。学習を始めた後で内容の誤りに気づいたときには、その段階で内容を調整する。

概念

最初の欄には、理解しておくべき概念を書き出す。概念とは、それを有効活用するために柔軟な形で理解しておく必要のある考え方のことだ。たとえば数学と物理学は、どちらも概念に大きく依存している。また法律のように、概念と事実の両方に依拠している分野もある（法律では法理を理解した上で、詳細を記憶しておく必要がある）。何かを覚えるだけでなく、理解する必要がある場合には、それをこの欄に記入する。

事実

2番目の欄には、記憶しておくべき事実を書き出す。事実とは、それを覚えておくだけで十分な情報のことだ。適切な状況で思い出すことができれば、深く理解する必要はない。たとえば言語の学習では、語彙や発音、そして頻度は低いが文法に関する知識など、多くの事実が関係している。

概念に大きく依存するテーマでさえ、ある程度の事実を覚えなければならないことが多い。微積分を学ぶ場合は、微分がどのように機能するかを深く理解する必要があるが、三角関数の恒等式を覚えておけば十分かもしれない。

行動

3番目の欄には、練習が必要なことを書き出す。行動とは、実行する必要のあるアクションのことであり、意識的な思考はまったく必要ない。たとえば自転車の乗り方を学ぶとき、そのほぼすべてが行動に関するものであり、概念や事実は関係しない。

その他多くのスキルにおいて、行動型の学習が必要になるが、それに加えて概念の理解や事実の暗記が必要になる場合もある。言語の学習では、語彙という事実を覚える必要があるが、発音を覚えるには練習を必要とするため、その行動をこの欄に書き入れておく。

分析結果から地図を描く

ボトルネックを見つけて学習の効率を上げる

ブレインストーミングを終えたら、最も対応が難しくなりそうな概念・事実・行動に線を引く。これにより、学習に当たってどこがボトルネックになりそうかを把握し、それを克服するための方法と資源を調べることが可能になる。

あなたは医学を学ぶ際に多くの暗記が必要であることを認識して、間隔反復ソフトウェアのようなシステムに投資するかもしれない。数学を学ぶのであれば、特定の概念を深く理解するのが困難であると認識して、そうした概念を他人に説明する時間をつくることで、自分も理解を深めようとするかもしれない。**どのようなボトルネックがあるかを知ることは、学習時間を効率的かつ効果的に使う方法を考えるのに役立ち、目的に合わないツールを回避することも可能になる。**

多くの場合、大まかに分析しておけば、準備における次の段階に進むことができる。しかし経験を積めば、より深く掘り下げることもできるようになる。学ぶ対象に関する概念や事実、行動が持つ特徴に注目し、それをより効果的にマスターする方法を考えられるようになるのだ。

たとえば私は似顔絵を描くことに挑戦したとき、チャレンジに成功できるかどうかは、顔が持つさまざまな特徴の大きさと位置を正確に描けるようになるかどうかにかかっているとわかっていた。ほとんどの人が顔を本物らしく描けないのは、そうした特徴がほんの少し実際からずれるだけで（顔の幅を広くしすぎる、目の位置を高くしすぎるなど）、私たちが持つ顔を認識する高度な能力によって、描いた顔に違和感を覚えてしまうからだ。

そこで私は何枚も何枚もスケッチして、それを参考写真の上に重ねて比較することにした。そうすることで、自分がどのような間違いをしているか素早く確認できる。こうした戦略が思いつかない場合でも、心配する必要はない。これは多くのプロジェクトを実施することから得られる、長期的なメリットだからだ。

「どうやって」に答える
「ベンチマーク」と「強調／除外法」

「なぜ」「何を」という2つの質問に答えたら、最後の質問の番だ——それを「どうやって」学習するか？　この問いに答えるために、「ベンチマーク」と「強調／除外法」という2つの手法を薦める。

ベンチマーク

どのような学習プロジェクトを行うにしても、まずは人々がスキルや知識を学ぶ一般的な方法を調べるところから始まる。これは検討の出発点として、デフォルトの戦略を設計するのに役立つ。

コンピューター科学や神経学、歴史など、学校で教えられていることを学ぼうとしているなら、その科目について学校で使われているカリキュラムを参考にできる。それは1つの授業のシラバスであったり、私のＭＩＴチャレンジのように、学位全体のコース・リストであったりするだろう。

たとえば私は、認知科学についてもっと知りたいと考えたとき、サンディエゴ大学の認知科学博士課程が公開していた、この分野の基礎知識を持たない新入生に推奨している教科書のリストを見つけた。このアプローチを取る際は、大学（ＭＩＴやハーバード大学、イェール大学、スタンフォード大学などが好例だが、これらがすべてというわけではない）が良い参照先になる。一般的に、既存の学生を対象としたコースの一覧やシラバスは、各大学のウェブサイトで確認することが可能だ。

学術系ではないテーマや、専門的なスキルを学習しようとしている場合には、そうしたスキルをすでに学習したことのある人をネットで探したり、エキスパートインタビュー法を使って、そのスキルを習得するために使える資源を見つけたりすることができる。どんなスキルでもオンライン上で1時間も検索すれば、学習方法に関するコースや記事、アドバイスを見つけられる。

ここに時間を費やすことには、大きなメリットがある。学習のためにどのような教材を使うかによって、その効果に大きな違いが出てくるからだ。すぐに学習を始めたいと思っている人も、その前に数時間を使うだけで、その後に何十、何百という時間を節約できるのである。

強調／除外法

既存のカリキュラムが見つかったら、それに手を加えることを検討する。これは明確な成功の基準があるスキル（絵画や言語、音楽など）や、学習の前にカリキュラム内にある各トピックの相対的な重要性を推測できるスキルの方がやりやすい。

学習者がシラバス中の用語の意味を理解できていない可能性のある概念的なテーマについては、もう少し理解を深めるまでベンチマークを続けた方が良いだろう。

強調／除外法ではまず、学習領域の中で、最初の準備作業で明確にした自分の目標に合致している部分を見つける。もしフランス語を学ぶ目的が、パリに2週間滞在して店やレストランで会話をしたいということであれば、正しい綴りを書けるようになることよりも発音を上達させることに集中すべきだろう。もし自分のアプリをつくりたくてプログラミングを学んでいるのであれば、コンピューターの理論よりもアプリ開発の流れを中心に学ぶべきだ。

このステップが終わったら、次にベンチマークしたカリキュラムの中から、自分の目標に合致しない部分をスキップしたり、後回しにしたりする。たとえば著名な言語学者で、中国研究者でもあるビクター・メアのような人々は、標準中国語を学ぶ際のアドバイスとして、読みに挑戦する前に会話に集中することを推奨している。[注6] これは唯一の方法ではないが、学習の目的が言語を話せるようになることであれば、この方が効果的だ。

どの程度まで計画すべきか？

「良い準備」をするための2つの指針

ここで直面する可能性のある問いは、「いつ準備をやめ、学習に移るか」というものだ。自己管理的学習に関する文献によれば、大部分の人々が、学習の目標や手法、資源に関して徹底的に調べるということは行っていない。[注7]

代わりに彼らは、自分の周囲にたまたま存在した学習手法を選ぶ傾向がある。 これでは明らかに、実際の学習と、最良の手法を使っていた場合に達成されていたはずの効率性との間に、大きなギャップができてしまう。しかし、たとえば見つけた学習法が自分にとって気乗りしないものである場合には、準備は学習を始めずに先延ばしするための方法にもなってしまう。もう少し準備しよう、もう少しだけ、と考えているうちに、それが学習を回避する口実になってしまうのだ。

どんなアプローチにも、不確実性は存在する。したがって準備が不十分な状態と、準備だけで先に進まない状態の間に、落としどころを見つけるようにしなければならない。ただ自分が先延ばしにしている、ということは自分でも気づくだろう。そのときは、とにかく学習をスタートさせよう。

10パーセントルール

経験則としては、学習を始める前に、予想される全学習時間のおよそ10パーセントを準備作業に投じるべきだ。週に約4時間を学習に費やす生活を6ヶ月間続けるとすれば、それは約100時間に相当し、準備には約10時間、つまり2週間を費やすべきである。

プロジェクトの規模が大きくなるにつれて、この割合は減少する。たとえば合計で500時間から数千時間の学習を計画している場合、必ずしも50~数百時間の準備が必要になるわけではなく、全体の5パーセント程度の時間になるだろう。ここでの目標は、すべての学習上の選択肢を洗い出すことではなく、代替案を検討せずに、単に最初に見つけた学習法や教材に飛びつかないようにすることだ。たとえば私は、ＭＩＴチャレンジを始める前に、およそ6ヶ月間かけて（フルタイムではなくパートタイムで）すべての教材をくまなく調べた。学習を開始する前に、一般的な学習方法や資源、および各種ツールの長所と短所を把握しておくことをお勧めする。

長いプロジェクトになるほど、脱線したり遅れが発生したりする危険性が増えるので、最初に適切な準備期間を取ることで、その後の時間を大幅に節約できるようになる。

収穫逓減の法則

メタ学習に関する調査は、プロジェクトを始める前に行う一度限りの活動ではない。学習を行う中でも、調査を続けるべきだ。多くの場合、学習を始める前には障害や機会が明確にならない。そのため再評価の実施は、学習プロセスにおける重要なステップである。

たとえば私は似顔絵にチャレンジしたとき、「スケッチして比較する」という手法から得られる効果が次第に減っていることに気づいた。そこで私は、さらに上達するためにはより良いテクニックが必要だと考え、準備の第2ラウンドを実施し、ウィトルウィアン・スタジオが提供している似顔絵教室に通った。そこではもっと体系的な方法を詳しく教えてくれたため、私の似顔絵の正確さは大幅に向上した。[注8] 最初の準備段階では、このコースは目に入らなかった。それは自分で開発した手法の欠陥に気づかなかったからである。

調査をいつまで行うかという問いに対するより洗練された答えは、メタ学習から得られるメリットと、実際の学習から得られるメリットを比較するというものだ。

これを行う方法の1つは、準備にさらに数時間を費やし（より多くの専門家にインタビューする、より多くのオンライン上の資源を検索する、他に活用できる可能性のある学習法を調べるなど）、それから自分が計画した学習法に基いて、実際に数時間学習してみるというものだ。そしてそれぞれの作業を行った後で、2つの活動の相対的な価値を簡単に評価してみるのである。もしメタ学習の調査が、学習そのものに費やす時間よりも価値が高いと感じた場合は、より調査を行う方が有益な段階にいる可能性が高い。追加の調査があまり役に立たないと感じた場合は、現時点の計画を採用する方が良いだろう。

この種の分析は、「収穫逓減の法則」として知られる理論に基いている。これはある活動（この場合はより多くの調査）に費やす時間が増えれば増えるほど、理想的な状態に近づくため、活動から得られる利益が減少することを意味する（収穫逓減とは経済学の用語で、生産に必要なインプットを増やしても、それによって生産が増加する量が次第に頭打ちになることを指す）。

メタ学習の調査を続けていると、いつかはその価値が学習そのものから得られる価値を下回るため、その時点で学習に集中すれば良い。ただ現実には、調査から得られるリターンは一定ではなく、大きく変化する。何も成果が得られずに数時間費やした後で、上達を促進する効果のある完璧な資源を発見できるかもしれない。いくつもの学習プロジェクトを経験すれば、この点を直感的に判断できるようになるが、「収穫逓減の法則」と「10パーセントルール」を使えば、どのくらいの準備をいつ行うべきかについて適切な見積もりを行うことができる。

メタ学習の長期的なメリット

ウルトラ・ラーニングを繰り返すほどメタ学習の能力が上がる

ここまでメタ学習の短期的なメリットを解説してきたが、その本当のメリットは短期的ではなく、長期的なものだ。それは特定のプロジェクトの中にのみ存在するのではなく、個人の学習者としての総合的な強みを高めるという効果をもたらす。

学習プロジェクトを経験するたびに、あなたの全体的なメタ学習スキルが向上する。どのプロジェクトにも、そこから新しい学習法や資源の収集方法、より良い時間管理術、そしてより良いモチベーションの管理方法を学ぶチャンスがある。そして1つのプロジェクトに成功すれば自信がついて、次のプロジェクトをより大胆に、より躊躇や先延ばしすることなく実行できる。

最終的には、この効果は特定のプロジェクトを実行した際に得られる効果を上回るほどになるだろう。ただ残念ながら、それは1つの戦術やツールへと要約することができないものだ。長期的なメタ学習の効果は、経験を積むことで得られるのである。

最初のプロジェクトは、メタ学習の能力が最も低いレベルで行われるため、ウルトラ・ラーニングのメリットは必ずしも明確にはならない。しかしプロジェクトを終えるたびに、次のプロジェクトに取り組む際に使える新しいツールが手に入り、好循環が促される。

私が本書のためにインタビューした多くのウルトラ・ラーナーたちも、同じような話をしてくれた。彼らは個々のプロジェクトの成果に誇りを持っていたが、本当の利点として挙げていたのは、難しい知識やスキルを学ぶプロセスを理解できるようになった点だった。そしてそのことはウルトラ・ラーナーたちに、それまで考えもしなかったような野心的な目標を追求する自信を与えていた。このような自信と能力を得ることは、最初から見通しておくのは難しいものの、ウルトラ・ラーニングの究極の目標だ。

しかしこれらのメリットは、実際にプロジェクトに取り組むことによってしか得られない。最高の準備をし、最高の資源と戦略を用意しても、学習に集中して取り組まなければ意味がない。そこでウルトラ・ラーニングの2番目の原則、「集中」の出番だ。

第5章

原則2 **集中**

ナイフを研ぎ澄ます

これで気が散らなくなった。
――レオンハルト・オイラー、
数学者、右目が見えなくなった際の言葉

メアリー・サマヴィルがどんな人物かを知らずに出会ったとしたら、彼女が科学界の偉人になるとは思えなかっただろう。彼女は18世紀にスコットランドの貧しい家庭に生まれたが、この時代、高等教育は女性にふさわしくないと考えられていた。母親は彼女が本を読むのを妨げなかったが、社会はそれを認めなかった。

叔母はサマヴィルが本を読む姿を見て、母親に「メアリーは本を読んで時間を無駄にしてるんじゃないかしら、彼女は男性以上に縫い物をしないわ」と言い放っている。また彼女は一時的に学校に通えることになったのだが、母親はそのお金を出したことを後悔した。「私が文章を書くことと、帳簿をつけることだけ学んでいたのなら、彼女は満足していたでしょう。それが女性の知るべきことのすべてだったのです」とサマヴィルは説明している。[注1]

彼女は女性として、より大きな障害にも直面した。家庭内の仕事や役割が、あらゆる自己学習よりも優先される時代だったのである。「男は仕事を理由にして時間を自由に使うことができますが、女はそんな言い訳は許されません」と彼女は嘆いた。彼女の最初の夫であったサミュエル・グレイグは、女性の学習に強く反対した。

そうした障害にもかかわらず、サマヴィルは偉大な業績を残した。彼女は数学で数々の賞を受賞し、数ヶ国語を流ちょうに話して、ピアノの弾き方も身につけた。

1835年にはドイツの天文学者カロライン・ハーシェルとともに、王立天文学会に女性として初めて選出された。最終的に彼女に名声をもたらした業績は、ピエール＝シモン・ラプラスの『天体力学概論』の最初の2巻を翻訳し、内容を補足したことである。同書は5巻から成る大著で、重力理論と高等数学が扱われており、アイザック・ニュートンが『プリンシピア　自然哲学の数学的原理』を著して以来の最も偉大な知的業績と評価されていた。ラプラス自身、サマヴィルは彼の仕事を理解している世界で唯一の女性だとコメントしている。

サマヴィルが厳しい環境に置かれながら、なぜそれほどの成果を残せたのか、最も簡単な説明は「彼女が天才だったから」だ。彼女が鋭い頭脳を持っていたことは間違いない。サマヴィルの娘はかつて、母親に勉強を教わっていると、彼女は次第に苛立ってくるのだとコメントしている。「彼女のほっそりとした白い指が、いらいらしながら本や石板を指していたのをよく覚えています。『これが見えないの？　何も難しくないでしょ。当たり前のことなんだから』という具合でした」

しかしサマヴィルが自分の生涯を振り返った際の記述を読むと、天才のように見える彼女にも、多くの不安があったことがわかる。彼女は、自分は記憶力が悪いと訴え、子どもの頃に新しいことを覚えるのに苦労したと語り、さらにはある時点において「（自分が）外国語を学ぶには年を取りすぎていると思いました」と述べている。

それが謙遜であったのか、それとも純粋な劣等感だったのかはわからないが、少なくとも、彼女が揺るぎない自信と才能を持って学習に取り組んだという見方には疑問が残る。

さらに深掘りすると、サマヴィルの別の姿が見えてくる。確かに彼女には鋭い知性があったが、それより大きなものを持っていた。それは卓越した集中力である。彼女は子どもの頃、ベッドに寝かされて読書のためのロウソクも消されてしまうと、頭の中でユークリッドの数学理論を繰り返し考えるということをしていた。

また子どもに母乳を与えている期間に、知人から植物学を学ぶように勧められ、毎朝

「この科学を学ぶための1時間」を取った。彼女の最大の業績である『天体力学概論』の翻訳と補足でさえ、サマヴィルはその作業と並行して子育て、料理、掃除とすべての家事をしなければならなかった。

「私は常に家にいることを求められていました」と彼女は説明している。「そして友人や知人がわざわざ私に会いにきてくれたので、彼らを出迎えないなどという不親切なことはできませんでした。それでも、難しい問題に取り組んでいるときに誰かがやってきて、『あなたと数時間過ごしたくてきました』などと言われると、いらいらするときもありました。しかし読んでいる本にしおりを挟むように、学習を離れても後ですぐに再開するような習慣が身につきました」

偉大な知的業績に目を向けると、素早く、深く集中する能力をいたるところで見つけることができる。アルベルト・アインシュタインは一般相対性理論を定式化するのに集中しすぎて、胃を悪くしてしまった。数学者のポール・エルデシュは、集中力を高めるためにアンフェタミンを多用していた。あるとき友人が、エルデシュがアンフェタミンを止められない方に賭けると、彼はアンフェタミン断ちに挑戦して短期間だがそれに成功した。しかし後になって彼は、この挑戦は自身の集中力を奪い、数学の進歩を1ヶ月遅らせただけだったと不満を漏らした。

このように極端な集中力の例を見ると、私たちは「俗事から解放された孤独な天才が、一心不乱に努力する」というイメージを思い浮かべがちだ。それは確かに驚異的なことだが、私はサマヴィルのような人物が持っている集中力がどのようなものか、という点の方に興味がある。

彼女のような環境にいて、常に気を散らされながら、社会的な支援も得られず、雑事に追われている人物が、いかにして集中力を持続させ、驚くほど広範囲の知識を学ぶだけでなく、それをフランス人数学者シメオン・ドニ・ポアソンが「フランスには（彼女の）本を理解できる男性は20人もいないだろう」と表現したほどの深さまで身につけることができるのだろうか？

サマヴィルはどうやってそこまで集中力を高められたのだろうか？ 理想的とは言えない状況で困難な精神的作業を行うために、彼女の戦略から何かを学べるだろうか？

人々が直面してきた集中力の問題には、大きく分けて3つの種類がある。集中の開始、維持、品質の最適化だ。ウルトラ・ラーナーたちは、この3つの問題に対処する解決策を考えることに熱心に取り組んでいる。そうした解決策は、集中力を高め、深く学ぶ能力の基礎となるものだ。

第1の問題：集中を始められない（先延ばしする）

「先延ばしにしようとしている自分」をまず認識する

多くの人々が抱える最初の問題は、集中し始めることだ。それが最もわかりやすい形で表れるのが、先延ばしである。やるべきことをする代わりに、他のことに取り組んだり、手を抜いたりするのである。一部の人々にとって先延ばしは、生活の中で常態化しており、彼らは締め切りギリギリまでその仕事から逃げ出し、結局は時間通りに終わらせるために苦労することになる。

また特定の仕事をしようとすると、急に気が進まなくなるというタイプの先延ばしに悩む人々もいる。私はこの2番目のタイプに近く、一日中先延ばししてしまうような作業がいくつかあった。

私は自分のブログにエッセイを書くのは苦ではないのだが、本書のために調査をしなければならないとき、なかなか腰を上げようとしなかった。同じように、私は座ってＭＩＴの授業映像を見ることには何の問題もなかったのだが、最初の課題に取り組むときにはいつも不安を感じた。スケジュールが厳しくなかったら、動き出すのをもっと先延ばしするための言い訳を見つけていただろう。実際、本章の執筆は、私がかなり先送りにした仕事の1つだ。

なぜ、先延ばしをしてしまうのか？ 単純な答えは、何か別のことをしたいという欲求があるか、その活動をすること自体への嫌悪感があるか、あるいはその両方があるためだ。

私の場合、本章を書くのを先延ばしにした理由は、アイデアがたくさんあり、どこから始めたら良いかわからなかったからである。私が心配していたのは、何かを紙に書き入れることで、下手な文章が完成してしまうのではないかということだった。

バカげた考えだということはわかっている。しかし先延ばしにする理由のほとんどは、言葉にするとバカげたものであり、それでもそれに支配されてしまうのを防ぐことはできない。先延ばしを克服するための第一歩は、先延ばしをしているのを認識することである。

先延ばしのほとんどは、無意識に行われている。実際には先延ばしをしていても、そうは認識しないのである。その代わりに、「必要な休息を取っているだけだ」や「仕事だけが人生じゃないんだから、たまには楽しもう」などと考えてしまう。問題はそうした考え方ではない。それが実際の行為を隠すために使われることが問題なのである。あなたが集中すべき作業をしようとしていないのは、そうするのが嫌か、他にもっとしたいことがあるからだ。自分が先延ばしをしていると自覚することが、それを避ける第一歩となる。

先延ばしをするたびに、ある精神的な習慣を身につけるようにしよう――その作業をしたくない、あるいは別の何かをしたいという強い欲求を感じていることを、ちゃんと認識するよう心がけるのである。どちらの感情がより強いのかも考えよう。

問題は、別の行動をしたいという衝動（何か食べたい、携帯電話をチェックしたい、昼寝をしたいなど）を持っていることだろうか？　それとも、すべきことをしたくないという衝動（それが不快だから、苦痛だから、いらいらするからなど）を持っていることだろうか？

こうした認識は前に進むために必要なものであり、先延ばしが自分の弱点だと感じているなら、問題を解決しようとする前に、認識を確立することを最優先にしなければならない。

先延ばししようとしていることを、簡単かつ自動的に認識できるようになれば、衝動を抑える手段を講じることが可能になる。その1つの方法は、先延ばししてしまう傾向の最悪の部分を乗り切るために、自分を支える「松葉杖」を心の中に持つというものだ。

学習プロジェクトに対処するのが上手になってきたら、先延ばしが問題にならなくなったタイミングで、その「松葉杖」を変えたり、取り払ったりすることができる。

最初の松葉杖は、「何かをやりたくないという衝動や、他の何かをしたいという衝動の大部分は、実際にはそれほど長く続かない」という点を認識することだ。実際に作業を始めたり、気を散らすものを無視したりすると、かなり不快な作業であっても、嫌な気持ちが消え始めるまでに数分しかかからないことが多い。したがって最初にすべきは、休憩を取ろうとする前に、極度の不快感を乗り越えるためにほんの数分を費やしてみるよう自分自身を説得することである。

「5分でいいからこの作業をやろう、そうしたら止めて他のことをしていいから」と自分に言い聞かせるだけで、作業を始められることがよくある。ほとんどの人は、どんなに退屈だったり、いらいらしたり、難しいと感じたりする作業であっても、5分は我慢して続けられる。

そして一度作業を始めると、休憩を取りたいと思うことなく、気づいたらもっと長い時間を作業に費やしていたということがあるのだ。

プロジェクトが進むにつれ、最初の松葉杖が邪魔になってくることがある。作業を開始しても、それが嫌で集中するのが難しいと、5分ルールを多用しすぎて頻繁に休憩が入り、生産性を高めることができなくなるのだ。もしそうなら、あなたの問題は「作業を始められないこと」から「休憩を取りすぎること」へと移っている。

その場合は、もう少し難しい方法、たとえば「ポモドーロ・テクニック」を試してみよう。これは25分間集中して、その後に5分間の休憩を取るというものだ。[注a] 以前の問題がまだ障害として残っている場合は、ハードルを上げないのが重要であると覚えておくこと。5分ルールでも作業を始められない段階で、このより要求の厳しい松葉杖に切り替えてしまうと、逆効果になる恐れがある。

フラストレーションを感じるのが作業を開始する時点ではないこともあるが、その場合も予測は可能だ。たとえば私は、フラッシュカードを使って漢字を学んでいたとき、カードの答えが思い出せないといつも諦めたくなっていた。

しかしその感覚が一時的なものであるとわかっていたので、私は自分にもう1つのルールを課した。最後に見たカードを正しく覚えていないと、終了できないようにしたのである。実際にはカードは素早く切り替わるので、このルールによって余分にかかるようになった時間は20～30秒程度だった。しかしフラッシュカードを使うことに対する私の忍耐力は、劇的に向上した。

最終的に、プロジェクトが極端な先延ばしに悩まされないようになったら、プロジェクトに費やす時間をあらかじめカレンダー上で決めておくという手法に切り替えることができる。このアプローチであれば、自分の限られた時間を最大限に活用することが可能になる。

しかしそれが有効なのは、決められたスケジュールを守れたときだけだ。毎日まとまった時間が取れるようにスケジュールを決めてあるのに、それを頻繁に無視して別のことをしているのに気づいたら、最初に戻り、5分ルールとポモドーロ・テクニックを使って再び学習習慣を構築しよう。

究極的には、メアリー・サマヴィルのレベルにまで集中力を高められるかもしれない。彼女は時間に余裕があると見るや、瞬間的に集中力を発揮することができた。とはいえそこまでの集中力があっても、サマヴィルでさえ、特定の学習をするために意識的に時間を確保しなければならなかった。

したがって彼女に多くの成功をもたらしたのは、単なる自発的な勉強ではなく、意識的な習慣だった。私自身、学習の中には本質的に面白いと感じ、何の苦労もなく長時間集中し続けられるものがあった。

たとえばMITチャレンジでは、講義を見るのには何の問題もなかった。しかし他の作業については、先延ばししたい気持ちを抑えるために5分ルールが必要だった。書類をスキャンしてアップロードしなければならないときは、取りかかる前に長い時間がかかり、それが山のように積み上がってしまうことがよくあった。

集中力のステージが下がってしまったとしても、恥じる必要はない。自分の性格や、気を散らす傾向をコントロールすることはできないが、練習すればその影響を軽減することができる。

第2の問題：集中を維持できない（気が散る）

集中力を失ってしまう原因は3つある

人々が悩みがちな問題の2番目は、集中力を維持できないことである。それは何かを勉強しようと腰を下ろしているときに、携帯電話が鳴ったり、友人がドアをノックして挨拶してきたり、空想にふけって15分間も同じ段落を読み続けていることに気づいたりしたときに起きる。

難しいテーマを学ぶことを前に進めたければ、集中を開始するという問題と同様に、集中を維持するという問題にも取り組まなければならない。しかし集中を維持する方法を解説する前に、どのような集中を維持するのが最も良いのかについて考えてみよう。

「フロー」は心理学者ミハイ・チクセントミハイが提唱した概念で、集中の理想的な姿を示すモデルとしてよく使用される。フローとは、「ゾーンに入る」という表現をされることもある心理状態だ。この状態になると、何かに気を散らされることがなくなり、心が目の前の作業に完全に没頭する。またフローは退屈とフラストレーションの間にある状態で、作業が簡単すぎることも、難しすぎることもなく、楽しさを感じることができる。

しかしフローをバラ色の存在として描くことには批判もある。集中的訓練という概念を提唱する心理学者のK・アンダース・エリクソンは、フローには「明確なゴール、フィードバック、間違いを修正する機会をモニタリングするという、集中的訓練の要件とは一致しない」特徴があり、「したがって、ある分野における熟練者は、その分野の活動においてフロー体験を楽しみ、追求するかもしれないが、そのような体験は集中的訓練の間には起きないだろう」と述べている。[注2]

同じようにパフォーマンスを重視する学習にフォーカスしているウルトラ・ラーニングも、エリクソンが集中的訓練について訴えたのと同じ理由で、フローとは無関係なように思われる。

私自身の考えでは、ウルトラ・ラーニングの最中にフローに達することは不可能ではない。学習に関連する認知活動の多くは、フロー体験を可能にしたり、さらには起きやすくしたりする程度の難易度を持っている。しかし私はエリクソンの意見にも同意する。学習中は、フローが不可能になる状況に陥ることが多いのだ。

さらにフローでは自己意識が存在していないが、ウルトラ・ラーニングと集中的訓練では、学習者が意識的にアプローチを修正していく必要があるため、自己意識が欠かせない。自分の能力の限界でプログラミングに取り組むこと、自分にとって馴染みのないスタイルで文章を書こうとすること、新しい言語を話すときに正しいアクセントを使おうとすることとは、自分の中に蓄積されてきた、無意識の行動に逆らう作業だ。自分にとって自然な行動に抵抗するのは、学習目標を達成する上では有効であっても、フロー状態に入ることを難しくするだろう。

私のアドバイスは「フローは気にするな」である。一部の学習では、簡単にフローに到達できる。私はMITチャレンジで練習問題を解いていたり、語学学習の際にボキャブラリーを磨いていたり、似顔絵を描いたりしているときに、フロー状態にいるように感じることがよくあった。だがフローが自動的に発生しなくても、恥じる必要はない。あなたが目指すのは学習の質を高めることであり、そのためにはフローにとって理想的と思われる状態よりもつらいセッションを乗り越えなければならない。学習を前に進めるための投資を事前にしておけば、後々の作業はずっと楽しいものになる。

どのような集中をすべきかを考えた後で、その長さについて考えてみよう。勉強はどのくらい続けるべきなのか?

この質問は、あなたが学習を一定時間続ける前に気が散ってしまうのを問題視していることを前提にしているが、集中力に関する研究では、集中力をずっと続かせることが学習の観点から見て好ましいとはされていない。一般的に研究者たちは、学習が1回の時間に詰め込まれるよりも、複数の時間に分けて行われる場合の方が、学んだことがより多く保持されると考えている。

同様にインターリービング法の存在は、集中を続ける中でも覚えようとしているスキルや知識の分野を入れ替えていく方が理にかなっている可能性があることを示唆している。[注3] **したがって、勉強に使える時間が数時間あるなら、1つのトピックだけに集中するよりも、いくつかのトピックをカバーする方が良いかもしれない。**しかしそれにはトレードオフがあり、1回の勉強時間が過度に短くなればなるほど、覚えるのが難しくなってしまう。必要なのはバランスだ。それを実現するためには、多くの学習タスクにおいて、1回の時間を50分~1時間にするのが良いだろう。1週間に1回、数時間だけというように、集中した時間しか取れない場合には、1時間ごとに数分の休憩を取り、そのタイミングでトピックを切り替えて、学習するテーマのさまざまな分野をカバーするのが良い。

もちろんこれらは、効率性を実現する上でのガイドラインでしかない。最終的には、学んだことを維持するという観点から何が最適かを考えるだけでなく、自分のスケジュールや性格、取り組み方も考慮した上で、自分に最適な方法を見つけなければならない。20分という短い時間での学習を繰り返すのが合っている人もいれば、丸一日を学習に費やす方を好む人もいるのだ。

自分にとって最適な時間の使い方が見つかったとして、その時間の中で集中するにはどうすれば良いだろうか。気が散り、集中力を失ってしまう原因は3つ存在する。集中するのに苦労しているなら、次の3つを順番に見ていってほしい。

気を散らすもの1　周囲の環境

集中を失ってしまう最初の要因は、自分の周囲にある環境だ。携帯電話の電源は切ってあるか？　ネットにアクセスしていたり、テレビをつけっぱなしにしていたり、ゲームで遊んでいたりしないか？　気が散る雑音や音楽は流れていないか？　作業する準備はできているか？　それともペンや本、電気スタンドを探さないといけないか？

これは集中力を維持する上での問題を引き起こす可能性のあるものだが、人々は自分が先延ばしをしているという事実を無視するのと同じ理由で、その存在を無視してしまいがちだ。たとえば音楽を流しておいた方がより集中が高まるという人が多いが、実際には単にその作業をやりたくないために、気を紛らわそうと音楽をかけている可能性がある。

別に完璧な環境で作業しようとしない人を責めたいわけではない。むしろ、自分がどのような環境だと最も作業しやすいのかを考え、それをテストしてほしい。テレビをつけっぱなしにした方がより作業がはかどるだろうか？　それとも単に音声を聞くのが好きで、聞いていると作業がつらくても耐えられるのだろうか？　もし後者なら、マルチタスクを避けるよう自らを鍛えることで、生産性を上げられるかもしれない。

マルチタスクは楽しいと感じさせてくれるかもしれないが、目の前の作業に全力を集中しなければならないウルトラ・ラーニングには好ましくない。学習効果を下げる悪い習慣を強化してしまうよりも、この悪癖を取り除く方が良い。

気を散らすもの2 作業自体

2番目の要因は、学習における作業そのものだ。ある種の活動は、その性質上、他の活動よりも集中しにくい。私の場合、内容が同じであっても、ある学習を映像を通じて行うよりも読書を通じて行う方が集中しづらいと感じる。学習において使うツールを選択できる場合には、決断を下す際に、どのツールを使うのが簡単に感じられるかを検討すること。

ただこの点は、他の検討事項よりも優先されるものではない。**たとえばより集中できるからといって、直接性（原則3）が低いツールや、フィードバック（原則6）を返してくれないツールの方を選ぶべきではない。**幸いなことに、ウルトラ・ラーニングの原則は相反しないことが多く、また効果の低い手法は認知能力にかかる負荷も低いため、集中を維持するのも難しい手法であることが多い。

場合によっては、自分の行動を微修正するだけでも、集中力を高めることができる。私は教材を読むのを難しく感じると、自分にとって難しい概念を改めて解説するメモを書くようにしている。そうすることで、心が他の場所にあるのに、見た目は読書をしているような状態に陥ることを防げるからだ。問題を解決する、何かをつくる、アイデアを文章や言葉で説明するなど、より集中が求められる行動は、心の中だけで行うことが難しいため、気が散ることが少なくなる。

気を散らすもの3　自分の心

3番目の要因は、あなたの心そのものだ。ネガティブな感情や、落ち着きのなさ、空想癖などが、集中する上での最大の障害になることがある。この問題には2つの側面がある。

まず、これは疑う余地のないことだが、冷静で雑念のない精神は、あらゆる学習において集中するのに最適の状態だ。怒りや不安、フラストレーション、悲しみを感じていると、勉強するのは難しくなる。つまり人生における問題と格闘していると、上手く学習するのは困難になるため、まずはそうした問題に対処する方が望ましいだろう。他人との関係に問題を抱えていること、先延ばしにしている他の仕事に不安を感じていること、あるいは単に、人生に違和感を覚えていることはモチベーションの妨げになるため、そうした問題は無視しない方が良い。

しかし感情に対してどうすることもできない場合もある。感情とは意識的に何かをしなくても、自然に湧いて出てくるものだ。たとえば未来の出来事に対する不安が、突然心に浮かぶこともある。だがそれに対処するために、いま行っている作業を中断するべきではないということは、頭で理解できるだろう。

ここでの解決策は、自分の感情を把握し、それを意識して、自分のすべきことへとゆっくり集中を戻し、感情が過ぎ去るようにすることである。

当然ながら、ネガティブな感情を払うのは言うほど簡単ではない。感情は心をハイジャックし、意識を学習プロジェクトに戻そうとしても、何度もそれを妨げてしまう。私自身、本当に心配なことがあると、作業に集中しようとしても15秒後にはそこから逃げ出していて、再び意識を集中させようとするというパターンを1時間以上も繰り返してしまう。

そのようなときは、しばらくすれば感情の激しさは落ち着くものだということを覚えておこう。落ち着くまでに、作業をすべて放り出してしまうといった、強い反応を回避していれば良い。また将来こうした状況に陥ったとしても、学習作業を続けるという覚悟を強くしておくことで、乗り越えるのがより簡単になる。

マインドフルネス研究者で精神科医のスーザン・スモーリーと、UCLAのマインドフル・アウェアネス・リサーチ・センターで瞑想を教えるダイアナ・ウィンストンは、人間が何らかの行為を行うとき、それに対する典型的な反応は、気を散らすような思考を抑えようとすることだと論じている。

「そうした気持ちを引き起こし、それに注目し、それを抑制しないで解放することを学ぶ[注4]ことができれば、回避したいと思っている行動を減少させられるだろう。

何も作業ができないほどネガティブな感情にとらわれ、作業を続けるなど無意味だと感じたことがあるなら、作業をやり抜く力を長期的に強化するのは有益であり、目の前の学習作業で多くを達成できなかったとしても、それは時間の無駄ではないのだということを覚えておこう。

第3の問題：適切な集中ができない
「興奮レベルの最適化」で理想的な集中状態をつくる

第3の問題は、他の2つよりも繊細なもので、集中の質と方向性に注目している。先延ばししてしまう、気が散ってしまうという問題を乗り越えられたとしたら、次に何をすべきだろうか？ 学習の効果を最大化するためには、どの程度の集中力を保つのが最適なのだろうか？

ここでは、「興奮」と「作業の複雑さ」という2つの変数に関する興味深い研究を紹介しておこう。まず「興奮」だが、これは性的な興奮状態ではなく、自分に活力がみなぎっていたり、意識がはっきりしていたりすると感じる状態を指す。眠いときには興奮のレベルは低く、運動しているときには高くなる。この身体的な現象は交感神経が活性化することによって起こり、心拍数の増加、血圧の上昇、瞳孔の拡大、発汗など、しばしば同時に体に発生する一連の反応から成る。

精神面においては、興奮は集中力に影響する。人は興奮のレベルが高くなると覚醒状態になり、狭い範囲での集中が高まるが、この状態は不安定であることも多い。[注5] これは比較的単純な作業や、小さなターゲットに集中する必要のある作業に非常に適している。アスリートはダーツを投げたり、バスケットボールをシュートしたりするために、この種の集中力を必要とする。

こうした場面では、行われる作業はかなり単純だが、適切に行うために集中力が必要になるのだ。しかし過度に興奮すると、集中力が落ち始める。[注6] 気が散りやすくなり、一定の場所に集中を維持することが難しくなるのだ。コーヒーを飲みすぎていらいらしたことのある人は、この状態が仕事にどう影響するか知っているだろう。

数学の問題を解いたり、エッセイを書いたりといったより複雑な作業では、集中力を緩めた方が効果的だ。[注7] そこでは意識を向ける対象がより広く、より分散していることが多い。そうした場合、直面している問題を解決するために、さまざまなインプットやアイデアを考慮する必要がある。複雑な数学の問題を解こうとしたり、愛を捧げる詩を書こうとしたりする場合は、こうした精神的な穏やかさが必要になる。

特にクリエイティブな作業をしているときには、行き詰まった場合、逆に集中を止めてしまう方が良いかもしれない。[注8] 問題を考えるのを中断することで意識が広がり、それまで考えもしなかった可能性が頭に浮かんで、それを問題に結びつけることで新たな発見が生まれるかもしれないのだ。

これはなぜ「エウレカ！」の瞬間〔エウレカは古代ギリシャ語で「わかった」を意味する言葉で、アルキメデスが複雑な物体の体積を量る方法を思いついた際に叫んだと言われる〕が仕事中ではなく、休憩中や居眠りをしている間に起きるのかの科学的な説明だ。

しかし怠惰が創造性のカギだというわけではない。このようなアプローチが効果を発揮するのは、休んでいても頭の片隅にアイデアが残っているほど、ある問題について長い間集中している場合であることは明らかだ。何の作業もせずに創造の分野で天才になれるわけではない。しかし休憩を取ることで、難しい問題に新鮮な見方を持ち込むことができるかもしれない。

作業の複雑さと興奮の関係は、非常に興味深い。それは後者の調整が可能だからだ。ある実験では、睡眠不足の被験者と、十分な休息を取った被験者に認知能力を使う課題に取り組んでもらった。[注9] 当然、睡眠不足の被験者の成績は悪かった。しかし面白いのは、周囲に騒音を流した場合、睡眠不足の被験者の方がより成績が良く、休憩を取った被験者は逆に悪くなったという点だ。

これについて研究者たちは、騒音は被験者の興奮レベルを上げる効果があり、それは興奮していなかった睡眠不足の被験者にとって有利に働いたが、十分な休息を取っていた被験者にとっては興奮のレベルを過度に上げる結果になり、彼らのパフォーマンスの低下を招いたのだと結論づけた。

これはつまり、理想的な集中状態を維持するためには、興奮のレベルの最適化を検討する必要があることを意味する。複雑な作業では興奮レベルが低い方が望ましいため、数学の問題に取り組む場合には、家の静かな部屋が適しているかもしれない。逆に単純作業の場合には、カフェのような騒がしい環境の方が望ましい可能性がある。

また先ほどの実験結果は、テストを通じて、自分の集中力にとって最適な環境を見つける必要があることを示している。あなたは騒々しいカフェでも複雑な作業に取り組めるかもしれないし、単純作業でも図書館のように静かな環境を必要とするかもしれないのだ。

集中力を改善する

気を散らしたいという衝動は、それに抵抗するたびに弱まる

集中は時間が無限にあり、スケジュールに余裕のある人だけが気にすべき話ではない。サマヴィルのように、学習に多くの時間を費やすことができない人にとって、集中する力はさらに重要なものになる。そして練習することで、集中を高めることができる。

ただ私は、集中力を能力として鍛えられるかどうかには関心がない。ある分野が鍛えら

れたからといって、その他すべての分野を鍛えることができるとは限らないのだ。ただ一般的に言えば、集中を高める手順というものが存在する。私のアドバイスはこうだ。

まず自分がどのようなタイプかを意識し、小さくスタートする。あなたが1分たりともじっとしていられないタイプならば、30秒間だけ静かに座ることに挑戦しよう。30秒はすぐに1分になり、そして2分になる。そして時間が経つとともに、特定のテーマを学習する際に感じたフラストレーションは、そのテーマに対する本物の興味へと変化していくかもしれない。

気を散らしたいという衝動は、それに抵抗するたびに弱まる。サマヴィルがおよそ200年前に行ったように、忍耐力と粘り強さがあれば、数分間でも大きな成果を出せるだろう。

難しい学習を始める方法について解説したので、いよいよ正しい学習方法について解説しよう。次の原則である「直接性」では、学習したことを実際に活用できるようになるために、学習中にどのような行動を取るべきか、逆にどのような行動を回避すべきか（こちらの方がより重要だ）を解説していこう。

第6章

原則3 直接性

一直線に進む

泉に行ける者は、水がめには向かわない。
——レオナルド・ダ・ヴィンチ

ヴァッサル・ジャイスワルはインドで生まれ育ち、それから建築家になることを夢見てカナダへと移住した。しかし4年後、新たな学位を得たものの、目の前に広がっていたのは大恐慌以来最悪の雇用市場だった。そこに飛び込んだ彼は、自分の夢がはるか遠くにあるように感じられた。

好景気であっても、建築の世界で職を得るのは難しい。2007年の金融危機から数年後とあっては、それは不可能に近かった。建築事務所は熟練の建築家すら解雇していた。誰かが採用を行っていたとしても、大学を出たばかりの若造に賭けることなどはなかった。

彼の同期で、建築の仕事を見つけられた学生はほとんどいなかった。大部分は経済の嵐が収まるまで、仕事を諦めたり、建築以外の分野で職を探したり、大学生活を続けたり、親元に戻ったりしていた。

また、門前払いだ——ジャイスワルは建築事務所のオフィスを出て、2人のルームメイトと共有しているワンベッドルームのアパートへと戻った。[注1] 何百通もの履歴書を送っても何の反応も得られなかった彼は、より直接的な戦術を使うようになっていた。建築事務所のオフィスに直接出向き、誰か担当者と話させてくれと直訴するのである。

しかし一方的にオフィスに押しかけ、ドアをノックするという行為を何度繰り返しても、何週間経っても求人は見つからなかった。いくら待っても、折り返しの電話はかかってこない。とはいえジャイスワルは、自分の苦境が不況のせいだけではないのではないか、と疑っていた。

彼は建築事務所から得られたわずかなフィードバックから、企業が彼を有用な従業員としては見なしていないのだと感じていた。彼は大学で建築を学んだが、そのコースは主にデザインと理論に焦点を合わせていた。彼はクリエイティブデザイン・プロジェクトのトレーニングを受けていたのだが、それは建築基準やコスト、難解なソフトウェアといった建築現場での現実から乖離したものだったのである。彼が大学時代に関わったプロジェクトのポートフォリオは、実際の建築家たちが普段接している技術文書とはかけ離れており、彼らはジャイスワルを雇っても、現場に出すまでに長いトレーニング期間が必要になると考えたのだ。

ジャイスワルには策が必要だった。これ以上履歴書を送ったり、オフィスに押しかけたりしてもらちが明かない。企業が求めているスキルを持っていることを証明する、新しいポートフォリオを用意しなければならなかった。ジャイスワルは彼らに向けて、自分が重荷になるのではなく、すぐ仕事を始められて、初日から貴重なチームメンバーになれることを証明する必要があった。

そのためには、建築家が実際にどうやって設計図を描いているのかを知らなければならない。大学で学んだような建築理論やデザインだけでなく、どうやって作画しているのか、異なる素材をどうやって表しているのか、何を描いて何を省略しているのか、といった詳細について知るのだ。

彼はそのために、大きな紙に建設図面を印刷する仕事を請け負っている、とある印刷所で仕事を見つけた。仕事は低賃金でスキルもほとんどいらなかったが、ジャイスワルはその仕事を最終目標にしていたわけではない。新しいポートフォリオを準備する期間、食いつなぐためだったのである。さらに印刷所では、毎日建設図面を見ることができた。そのおかげで彼は、どのように作図が行われているかについての詳しい情報を大量に吸収した。

次にジャイスワルは、技術的なスキルを向上させる必要があった。オフィスへの訪問を通じて、彼は多くの建築事務所において、「レビット」という複雑な設計用ソフトウェアが使われていることに気づいた。その機能をマスターできれば、彼が希望するポジションにおいて大いに役立つだろう。彼は夜に自宅でオンラインチュートリアルを受けて、このソフトを独学で学んだ。

彼は最終的に、ポートフォリオのつくり直しに着手した。新たに得たレビットのスキルと、建築図面の知識を組み合わせ、ジャイスワルは新しいポートフォリオをつくることに成功した。そこでは大学で行ったプロジェクトを整理するのではなく、自分自身でデザインした建物にフォーカスした。それは3棟からなる住宅で、中庭が一段高い位置にあり、モダンな外観をしていた。

このプロジェクトを通じて、彼はさらにソフトウェアのスキルを伸ばし、オンラインチュートリアルや印刷所で得た基礎的な知識を超える手法やアイデアを身につけることができた。数ヶ月後、ついに彼は仕事探しを再開する準備が整った。

新しいポートフォリオを携えて、ジャイスワルは2つの建築事務所を訪れ、自分を雇ってくれるよう申し込んだ。驚いたことに、どちらの事務所からもすぐに仕事のオファーがきた。

直接取り組むことの重要性

「講義を受ける」よりも「試験問題を解く」ことに時間を割け

ジャイスワルの事例は、ウルトラ・ラーニングの第3の原則である「直接性」を完璧に表している。彼は建築事務所の仕事が実際にはどのようなものなのかを知り、自分が望むポジションに関係する一連のスキルを学ぶことで、見栄えのしないポートフォリオを抱えた学卒の集団から抜け出すことができた。

学習によって身につけたスキルを、学習者は何らかの状況や、文脈において使用することになる。直接性とは、そういった状況や文脈と結びついた形で学習を行うという発想だ。ジャイスワルの事例で考えてみよう。建築事務所に雇ってもらえるのに十分な建築関連スキルを身につけようと思ったとき、彼はそうした事務所で使われているソフトウェアを使ってポートフォリオを作成し、彼らが行っているのと同じやり方で設計を行うことにした。

自己学習には多くのやり方があるが、そのほとんどは直接的ではない。私が話をした別の建築家志望の人物は、ジャイスワルとは対照的に、設計理論の知識を深めることで職にありつける可能性を高めようとしていた。それは楽しくて、興味をそそられる経験だったかもしれないが、新入社員に求められる現場のスキルからはかけ離れていた。ジャイスワルが大学でつくったポートフォリオを使って仕事を得ようとして苦労したように、私たちの多くは、自分が希望するキャリアや目標を達成するのには役立たないスキルのポートフォリオを構築してしまっている。

新しい言語が話せるようになりたいのに、実際の人々と会話するのではなく、楽しいアプリで遊ぶだけで満足してしまう。スピーチが上手くなりたいのに、プレゼンの練習をするのではなく、コミュニケーションに関する本を買って終わりにしてしまう。すべて問題は同じだ。

何かを直接学ぶというのは、不安を感じたり、退屈だったり、フラストレーションを感じたりする行為のため、私たちは本や授業、アプリに逃げて、それがいつか現実で役立つことを祈るのである。

直接性はウルトラ・ラーニングのトレードマークのような存在だ。[注a] ロジャー・クレイグは「ジョパディ!」に挑戦する際、同番組の過去の問題で練習した。エリック・バロンはビデオゲーム自体を開発しながら、ビデオゲーム内のアートについて学んだ。ベニー・ルイスは新しい言語を学ぶとき、初日から誰かと会話するという戦略を採ることで、その言語を素早く身につけることができた。

これらのアプローチに共通しているのは、学習行為が常に、そこで学ばれるスキルが最終的に使用される文脈に関係しているという点だ。

伝統的な教室形式の学習で使われているのは、この逆のアプローチだ。事実や概念、スキルを、それが最終的に応用される状況から切り離して教える。それがどのような問題を解くためのものか理解する前に、公式を暗記させる。それを使いたいからではなく、単語帳に載っているから語彙を覚える。卒業したら二度と目にすることはない、理想的な状況での問題解決に取り組む、といった具合である。

こうした間接的な学習アプローチは、伝統的な教育現場に限った話ではない。多くの自己学習者たちが、間接的学習の罠に陥ってしまう。人気の語学学習アプリ、デュオリンゴを考えてみよう。表面的には、このアプリには評価できる点が数多くある。カラフルで楽しく、自分が上達したような感覚を与えてくれる。しかしそうした感覚の多くは、少なくとも最終的にその言語を話せるようになることを目標にしている場合、錯覚ではないかと私は疑っている。

それがなぜかを理解するために、デュオリンゴがどのような練習を奨励しているかに注目しよう。たとえば学習者の母国語が英語で、他の言語を学ぼうとする際、画面には英単語と英文が示される。それから「単語バンク」の中から単語を選んで、その英文を学習している言語へと翻訳するよう求められる。[注b] 問題は、それが実際に言語を使う状況とは異なるということだ。現実には、英文を自分が学んでいる言語へと翻訳しようとしても、選択肢が提示されることはない。適切な単語がわからなければ、記憶の中から代わりの単語を見つける必要がある。

認知機能の観点から言うと、これは非常に限られた「単語バンク」の中から正解を選ぶのとはまったく異なる作業であり、またはるかに困難だ。ベニー・ルイスのように、最初から話すというのは難しいかもしれないが、それは最終的な目標、すなわち「会話をする」というゴールと完全につながっているのである。

私はＭＩＴチャレンジの際、試験に合格できるようになるために最も重要な教材は、授業の映像ではなく「問題のセット」だということに気づいた。しかしこのプロジェクト以降も、私は助言を求める学生たちから、特定の授業の映像が公開されていないことを嘆かれることが多い。一方で問題のセットが揃っていなかったり、不十分だったりするのを非難されることはほとんどない。

そこで私は気づいた。大部分の学習者たちは、座って講義映像を視聴するというのが、その教材の学習における中心であると考え、最終試験に非常に近い問題を解くというのは、身についた知識を確認するための表面的な作業でしかないと考えているのである。

まずは教材に取り組むというのが、学習を始める上で欠かせない行動であることが多いものの、直接性の原則は、学習の大部分が本当に生まれるのは、自分が上達したいと思うことを実際にしている間であると示している。このルールに例外はほとんどない。そのために1世紀以上の間、直接性は教育において困難な問題となってきた。

何かを直接学ぶ最も簡単な方法は、自分が上達したいことをするのに多くの時間を費やすことだ。新しい言語を話せるようになりたければ、ベニー・ルイスのように、それを話してしまえば良い。ゲーム開発をマスターしたければ、エリック・バロンのように、ゲームを開発してしまえば良い。テストに合格したければ、私がＭＩＴチャレンジでしたように、テストに出そうな問題を解く練習をすれば良い。

このアプローチは、すべてのプロジェクトで使えるわけではない。「実際の」状況をつくり出すことは困難で、不可能な場合もあり、したがって実際とは異なる環境で学習することが避けられない場合もある。ロジャー・クレイグは「ジョパディ！」に何百回も出演して練習する、などということはできなかった。別の環境で練習して、そこで得た知識を実際の番組出演時に活用しなければならないことを、彼は理解していた。ただそのような状況であっても、直接性が一切実現できないというわけではなく、徐々に直接性を高めていってパフォーマンスを改善するのに役立てることができる。

過去に「ジョパディ！」で出題された問題から練習を始めるというクレイグのアプロー

チは、雑学を手当たり次第に学習するよりもずっと効果的だった。働きたいと思っていた建築事務所から雇ってもらえなかったジャイスワルも、クレイグ同様に、実際の建築関連スキルを学ぶのが難しい状況に置かれていた。しかし彼は、建築事務所で使用されているのと同じソフトウェアでトレーニングを行い、実際に使われているのと同じ図面を描くようにすることで、この問題を回避した。

直接性のもう1つの課題は、学ぶスキルを実際に使う環境が、簡単な練習には向いていない場合があることだ。直接学習できたとしても、このアプローチは、講義の映像を受動的に見たり、楽しいアプリで遊んだりするより、集中的で不快なものになることが多い。したがって、意識して直接性を実現するようにしないと、学習戦略がお粗末なものになってしまいがちだ。

ジャイスワルの事例でもう1つ重要なのは、それが彼の自己管理的学習の勝利ではなく、彼が受けた学校教育の敗北を示しているかもしれないという点である。結局のところ、彼の苦境は、大学で建築学を4年間学んだところから始まっているのだ。では卒業後に行った小さなプロジェクトが、なぜ彼が職を得る可能性を著しく高めることができたのだろうか。それを考えるために、教育心理学において最も扱いづらい問題の1つである「転移」について考えてみたい。

「転移」が起こらないという学校教育の残念な事実

教育機関での学習はあまりにも「間接的」だ

転移の問題は、「教育における聖杯」とまで呼ばれている。転移とは、何かをある状況で学んだときに（授業を受けるなど）、それを別の状況（普段の生活など）でも使えるようになることを指す。これは技術的な話に聞こえるかもしれないが、転移はほぼすべての学習行為において期待されていることだ。そうでなければ、その行為を学習と呼ぶのは難しい。

とはいえ残念なことに、1世紀以上にわたって熱心な研究が行われているにもかかわらず、学校教育において転移はほとんど実現されていない。心理学者のロバート・ハスケルは、学習における転移に関する膨大な文献をまとめた優れた論文の中で、次のように述べている。「学習の転移が持つ重要性にもかかわらず、過去90年間の研究結果は、私たちは個人としても、あるいは教育機関としても、顕著な形で転移を実現できていないことを明確に示している」[注2]

そして彼は、「誇張でも何でもなく、それは教育におけるスキャンダルだ」とつけ加えた。状況は深刻だ。ハスケルは次のように指摘している。「たとえば私たちは、高校で教えられる初歩的な心理学から、大学レベルの心理学入門コースへと学習の転移が生まれるだろうと期待する。しかし高校の心理学科を卒業して大学に入学した学生と、高校で心理学を履修しなかった学生の間に優劣が存在しないことは、何年も前から知られている。高校で心理学科に通ったのに、そうでない人より成績が悪い学生すらいるのだ」

別の研究では、大卒者に経済問題について質問したところ、経済学の授業を受けた人とそうでない人の間で正答率に差は見られなかった。[注3]

もっと別の研究に目を向ければ、転移が成功している例も見つかるのではないか、と思うかもしれない。しかし認知科学の研究者であるミシェリン・チーによれば、「これまでほぼすべての実証研究において、例題で勉強した学生は、その例題からわずかに逸脱した問題すら解くことができない場合が多いという結果が出ている」[注4]。また発達心理学者のハワード・ガードナーは、著書『*The Unschooled Mind*』(『教育を受けていない心』、未邦訳)において、「大学レベルの物理学コースで優秀な成績を収めている学生でさえ、基本的な問題について、それが正式な教育やテストを受けた際の内容とは少し異なる形で出題されると、解けなくなってしまう場合が多い」ことを示す数々の証拠を挙げている。[注5]

またこうした転移の失敗は、学校教育に限定されない。企業研修も同じように厳しい状況にあり、タイムズ・ミラー・トレーニング・グループの前会長ジョン・H・ゼンガーは、「トレーニングの効果について厳密に検証している研究者たちによれば、トレーニング後に明らかな変化を見つけるのは難しい」[注6]と記している。

転移が失敗しているという認識は、転移の研究と同じくらい長い歴史がある。この問題に対する最初の批判は、心理学者のエドワード・ソーンダイクとロバート・ウッドワースが1901年に発表し、大きな影響を与えた論文「1つの精神機能の改善が他の機能の効率におよぼす影響（The Influence of Improvement in One Mental Function upon the Efficiency of Other Functions）」によってなされた。

その中で彼らは、当時の支配的な教育理論だった、いわゆる「形式陶冶論（けいしきとうやろん）」を攻撃した。形式陶冶論では、脳は筋肉に似ていて、記憶、注意、推論の全般に使える機能を備えており、そしてその「筋肉」を鍛えれば、鍛え方にかかわらず、全体的な学力の改善を実現できるとされていた。

これはラテン語と幾何学の教育が広く行われるようになった背景にある理論であり、それによって学生の考える力が養われるのだと信じられていた。ソーンダイクは、転移の力が当時の人々が期待するよりはるかに狭いことを示し、この考え方に反論した。

その後ラテン語教育は支持を失ったものの、多くの教育評論家たちは、一般的な知性を向上させるために、誰もがプログラミングや批判的思考を学ぶべきだと主張し、形式陶冶論を新しい形で復活させている。人気のある「脳トレ」ゲームの多くもこの考え方を支持しており、認知的作業に関するトレーニングは、日常的な推論の力も向上させるという前提に立っている。

論文が発表されてから100年以上経つというのに、転移という概念の魅力によって、いまだに大勢の人々が聖杯を探しているのである。

しかし希望がないわけではない。実証研究や教育機関では、十分な転移の効果を証明できないことが多いが、転移が存在しないわけではないのだ。ウィルバート・マッキーチは、転移の歴史を振り返り、「転移は逆説的だ。ほしいときには手に入らないが、それは常に起きている」と指摘している。[注7]比喩を使い、何かが別の何かに似ているというときはいつでも、知識を転移しているのだ。スケートで滑ることができて、それからローラーブレードを学ぶのであれば、その際にスキルの転移が行われる。ハスケルも指摘しているが、転移が本当に不可能であれば、人間は機能しなくなるだろう。

なぜこのような食い違いが生じているのだろうか？　人間が機能するために転移が必要なのであれば、なぜ教育機関は十分な転移を実現するのに苦労しているのだろうか？

ハスケルはその主な理由として、知識が限られれば限られるほど、転移が難しくなる傾向があることを挙げている。ある分野でより多くの知識と技能を獲得するにつれ、それらはより柔軟になり、それらを学習した狭い文脈の外で適用することが容易になるというのだ。

しかし私は、転移の問題について独自の仮説を掲げてみたい。教育機関における学習は、目も当てられないほど間接的なのである。

「直接性」で問題を解決する
自分の学習をデザインする前に絶対に知っておくべきこと

直接性は、2つの形で転移の問題を解決する。第1に、これは明白なことだが、ある知識やスキルを、それを最終的に活用したい文脈において直接学習すれば、かけ離れた領域の間で転移を行う必要性が著しく低下する。

100年もの間、転移の難しさを示す研究が行われてきており、また教育機関が持続的な結果を生み出すのに失敗していることを考えると、学生たちは「学んだ内容を学習時とは大きく異なる文脈や状況に移すことは危険である」という点を真剣に考えなければならない。

ハスケルは、学習が「場所や対象物に溶接されている」と言及しているが、もしそうなのであれば、実際に知識やスキルを使用する状況に近い場所で学習を行う方がずっと良いだろう。

第2に、直接性は遠い領域に転移させる必要性を減らすだけでなく、新しい状況への転移を行う際にも役立つと私は考えている。ある現実の状況が、些細な点まで教室や教科書内の状況と一致していることは決してないが、他の現実の状況とは、多くの共通点を持つものだ。新しい知識やスキルを学ぶ際に、簡略化され体系化された既存の知識に依存するということはめったにないが、その知識が現実とどのように相互作用するかに関する詳細な情報に依存することはある。

また実際の状況の中で学ぶことによって、学習者は教室の人工的な環境で学ぶ場合よりも、新しい現実の状況に転移される可能性がはるかに高い、多くの隠れた情報とスキルを身につけることができる。個人的な例を挙げると、言語学習プロジェクトにおいて最も重要だったスキルの1つは、携帯電話で辞書や翻訳アプリを素早く使えるようになることだった。それによって私は、会話の途中でも言語知識のギャップを埋めることができた。

しかし言語学習のカリキュラムではほとんどカバーされていないのが、まさにこの種の実践的スキルである。これは些細な例だが、実生活には、学問として学んだテーマを実社会に応用しようとする場合に必要な、何千ものスキルや知識が存在しているのだ。

究極的には、転移という「教育における聖杯」が現実に存在するのか否かは、研究者が決めることになるだろう。一方で私たちは学習者として、最初に行う学習が、それが実施される状況と密接に関係したものになりがちであることを認めなければならない。

授業でアルゴリズムを学んだプログラマーは、そのアルゴリズムをいつコードの中で使うべきか理解するのに苦労するかもしれない。ビジネス書から新しい経営哲学を学んだリーダーは、結局、従業員と同じアプローチで仕事をするかもしれない。

私がお気に入りの事例は、友人が私をカジノに誘ってくれたときの話だ。私は彼らに、勉強するとギャンブルなんて楽しめなくなるんじゃないかと言ったのだが、彼らはその言葉を聞いてぽかんとした表情を浮かべた。なぜ私がこんなことを言ったのかと言えば、彼らがアクチュアリー（保険数理士）だったからだ。この職に就くには、何年も教室で統計学を学ばなければならない。

そこで得た知識は、ギャンブルで胴元に勝つことはできないと彼らに気づかせてくれるはずなのだが、彼らは知識と現実を結びつけてはいないようだった。したがって、何か新しいことを学ぶ場合には、それを実際に使う文脈に直接結びつけるように常に努力しなければならない。現実世界の中において知識を構築することは、「何かを学び、そしてそれを将来的に、現実の文脈に転移できるように願う」という伝統的な戦略よりもはるかに望ましいのである。

「転移の問題」を回避する方法

「より深い知識」を得ることが転移を促す

転移の問題と直接学ぶことの重要性を踏まえた上で、ウルトラ・ラーニング・プロジェクトでこの問題に対処する方法を考えてみよう。直接性を増す最も簡単な方法は、実際にやってみることだ。学習時間を可能な限り「上達したいこと」そのものに費やすことができれば、直接性の問題はなくなる。

それが不可能な場合、自分のスキルをテストするために、人工的なプロジェクトや環境を用意する必要がある。その際に最も重要な点は、習得しようとしているスキルの認知的特徴と、それを実践する方法が十分に似ているようにするという点だ。

もう一度、クレイグの事例で考えてみよう。彼は「ジョパディ！」のシミュレーションをするために、そこで実際に出題された過去問に取り組んだ。彼が実際の過去問を使っていたという事実は、彼の開発したプログラムが、「ジョパディ！」のテーマカラーである青を背景色として使っていたかどうかよりも重要だ。なぜなら、問題への回答に影響を与えるような情報は、背景色からは提供されないからである。彼が獲得しようとしていたスキルは、背景色とは無関係なのだ。

その一方で、もし彼が別のゲーム（たとえばクイズが出題されるボードゲーム「トリビアル・パスート」など）から雑学を集めていたとしたら、そこには出題のされ方、出題されるトピックの種類、あるいは難易度の点で違いが生まれていただろう。さらに悪いことに、もしウィキペディアなどからランダムに記事を選んで雑学を学んでいたら、彼は「ジョパディ！」で求められる、難解なヒントから答えを導くというスキルを練習できなかったかもしれない。

また、習得しようとしているのが実践的なスキルではない場合もある。私が出会ったウルトラ・ラーナーの多くは、彼らの最終目標として、あるテーマ自体を深く理解することを掲げていた。

たとえばビシャル・マイニは、機械学習と人工知能を理解しようとしていた。また私のMITチャレンジも、追求していたのはアプリやビデオゲームをつくるといった現実的な目標ではなく、コンピューター科学を深く理解することだった。

そうした場合には、もはや直接性は重要ではなくなるように思えるかもしれないが、実際にはそうではない。学んだ知識を応用したい場所が、実践的なスキルを学ぶ場合ほど、明確で具体的ではないだけだ。マイニの事例では、彼は機械学習について高度な会話をしたり、考察をしたりできるようになり、それを活用する企業で非技術的なポジションを得たいと考えていた。

つまり自分の考えをはっきり伝えられるようになること、概念を明確に理解すること、そしてそれらを知識のある熟練者と素人の両方と議論できるようになることが重要だった。それこそ、機械学習の基礎に関するミニコースをつくるという彼の目標が上手く機能した理由だ。彼の学習は、スキルを使う目的、つまり他人に伝えるということと直接関係していたのである。

転移に関する研究結果は期待外れに終わっているが、わずかな希望がある。**それは、あるテーマに関してより深い知識を得ることで、将来の転移が柔軟になるというものだ。**私たちの知識の構造は、初めは壊れやすく、学習する環境や文脈と結びついている。しかしより多く学習し時間を費やすことで、それは柔軟なものになり、より広く適用できるようになる。これがロバート・ハスケルの結論であり、それは学習者に対し問題の短期的な解決策を提供するものではないが、あるテーマをマスターするまで取り組もうという人々にとっては、１つの道を示してくれるものだ。

より狭い分野に特化した多くのウルトラ・ラーナーたちは、転移の達人である。これは間違いなく、彼らの知識の深さによるものであり、それが転移を容易にしているのである。メタ学習の章で登場したダン・エバレットは、その好例だ。エバレットの言語に関する知識の深さは、第２言語を学んだだけの人や、言語を学問として学んだ人に比べて、彼が新しい言語を容易に学ぶことを可能にしている。

どうやって直接学ぶか？

ウルトラ・ラーナーたちが採用している4つの戦術

間接的な学習の問題点が十分に立証されていることを考えると、なぜ学校教育や失敗した自己学習において、それがデフォルトのアプローチになっているのかと疑問に思うだろう。その答えは「直接学ぶのが難しい」からだ。それは本を読んだり、座って講義を受けたりするよりも、フラストレーションを感じたり、難しかったり、内容が濃かったりすることが多い。

しかしこの難しさこそ、ウルトラ・ラーナーにとって競争優位性をもたらす大きな源泉となる。困難に負けずに直接性を利用する戦術を採用すれば、より効果的に学習できるようになるだろう。

この原則を最大限に活用するために、ウルトラ・ラーナーたちが採用している戦術をいくつか見ていこう。

戦術1　プロジェクトに基く学習

ウルトラ・ラーナーの多くは、必要なスキルを学ぶために、授業よりもプロジェクトを選んでいる。その理由は簡単で、何かを生み出すことを中心にして学習を組み立てれば、少なくとも、それを生み出す方法が学べると保証されるからだ。授業の場合、ノートを取ったり本を読んだりすることに多くの時間を費やすかもしれないが、自分の目標が達成できるとは限らない。

自分でコンピューターゲームを開発してみてプログラミングを学ぶことは、プロジェクトに基く学習の完璧な例だ。工学、デザイン、芸術、作曲、大工仕事、執筆、その他多くのスキルは、最後に何かを生み出すプロジェクトを通じて学ぶのに本質的に適している。

しかし知的なトピックがプロジェクト型の学習に向かないわけではない。私がインタビューしたあるウルトラ・ラーナーは、軍事史を学ぼうとしていた。そのために彼は、最終的に論文を書くというプロジェクトを進めていた。彼の最終目標は、このテーマについて知識を持ち、会話ができるようになることだったので、何も生み出さず単に何冊も本を読もうとするのではなく、より直接的に学習成果を応用することになる、論文を作成するプロジェクトを選んだのである。

戦術2　没入型学習

没入とは、学ぶスキルを活用しようとしている環境に、自分自身を飛び込ませることを指す。そうすることで、通常よりもはるかに多くの練習が必要になる。またスキルを活用する環境に、より広い範囲で触れることができるという利点もある。

言語の学習は、没入が機能する典型的な例だ。学びたい言語がある程度話されている環境に身を置くことで、その言語をそれまでよりもはるかに多く練習することが保証される（そうする他なくなるため）。さらにそれだけでなく、新しい単語やフレーズを学習することが求められる、より多様な状況に直面することになる。しかし没入が活用できるのは語学学習だけではない。積極的に学習に取り組む人々のコミュニティに参加することは、学習者に新しいアイデアや課題に触れることを促すため、同様の効果をもたらす可能性がある。たとえばプログラミング初心者がオープンソース・プロジェクトに参加すると、彼らにとって新しいコーディング上の課題に直面することがある。

戦術3 フライトシミュレーター法

プロジェクトと没入型の学習は素晴らしいものだが、多くのスキルでは、それを実際に直接学ぶ手段がない。飛行機の操縦や手術などのスキルは、相当な時間をかけて訓練しない限り、実際の状況で練習することは法的にも認められていない。どうすればこの問題を克服できるだろうか？

ここで重要なのは、転移を実現するために重要なのは、学習環境のすべての要素ではないということだ。たとえば学習にどのような部屋を使うか、どのような服を着るかなどは、関係のない場合が多い。むしろ重要なのは、認知機能である。つまり何をするか判断したり、頭の中にある知識を引き出したりするような状況をつくるのである。

このことは、直接的な実践が不可能な場合、スキルを使用する環境のシミュレーションを利用できることを示唆している。ただ環境を構築する際、それが取り組む課題の認知的要素にどこまで忠実に再現されるかによって、効果は左右される。たとえば飛行機の操縦法を学ぶ場合、フライトシミュレーターでの訓練は、それがパイロットに十分な判断と意思決定を迫る場合、実際の飛行機を飛ばす場合と同じくらい効果的ということになる。

画質や音質の向上は、それがパイロットによる意思決定の性質や、彼らが特定のスキルや情報を使う際に、判断材料とするような情報の内容を変えたりするものでない限り、重要ではない。[注8]

学習のためのさまざまな方法を評価する際、直接的な学習をシミュレートする方法の方が、転移を実現する上ではるかに効果的だ。

したがって、いまフランスに旅行しようとしていて、その前にフランス語を学ぶための最善の方法を評価したいのであれば、フラッシュカードで単語を覚えるよりもスカイプで個人指導を受ける方が、（完璧ではないにせよ）より多くの転移を実現できるという判断になるだろう。

戦術4　過剰アプローチ

直接性を実現する最後の戦術は、自分の設定する学習の目標が、求められるスキルのレベルに達していることを保証するために、課題のハードルを高くすることである。トリスタン・デ・モンテベロは、世界スピーチ選手権に出場する準備をしていたときに、中学校でスピーチの初期バージョンを披露した。トーストマスターズで受けたフィードバックは、あまりに優しいものであったり、お世辞が含まれるようなものであったりして、自分のスピーチで何が効果的で何がそうでないのか、深掘りできないと彼は感じていた。

一方で、中学生は情け容赦ない。彼らはジョークが面白くなかったり、スピーチが退屈だったり安っぽかったりしたら、すぐ顔に表す。デ・モンテベロはそれをその場で察知して、何が悪かったのか気づくことができる。**過剰アプローチとは、要求のハードルが非常に高くなる環境に身を置くことであり、それによって学習者は、重要な教訓やフィードバックを見逃すことがなくなる。**

そうした環境に入ると、圧倒されてしまうかもしれない。自分がほとんど学んでいない言語を話そうとすれば、「まだ準備ができていない」と感じるはずだ。まだ完全に覚えられていないスピーチを壇上で行うとなれば、恐れを抱くだろう。自分でアプリを直接開発してみるよりも、他人がコーディングしているのを映像で見る方が楽だと感じるかもしれない。

しかしこうした恐怖は一時的なものであることが多い。過剰アプローチを始めるモチベーションさえ持てれば、それを長期間継続することははるかに楽なのだ。私の場合、言語学習プロジェクトの最初の1週間は常にショックを受けてばかりなのだが、すぐにまったく新しい言語の中で生活するのが当たり前になる。

過剰アプローチを実現する方法の1つは、目指すスキルレベルを超えたテストや課題を自らに課すことである。たとえばベニー・ルイスは、語学の試験を受けることを好む。それが具体的なチャレンジを提供してくれるからだ。彼はドイツ語学習プロジェクトにおいて、最高レベルの試験を受けることにした。それを目標として意識することで、他人との会話に問題を感じないレベルで満足する場合よりも、さらに勉強するようになると考えたのである。

私の別の友人は、スキルと才能を向上させる手段として、自分の写真の展覧会を開くことにした。自分の作品が公開されるのだと事前に決めておくことで、学習に対するアプローチが変わり、単に学習内容のチェックリストにチェックを入れて消化していくのではなく、自分のパフォーマンスをもっと向上させようという姿勢を持つことができたのである。

ウルトラ・ラーナーは直接学ぶ

新しいことを学ぶときは、得た知識を使う状況をイメージする

直接学ぶことは、私が出会った多くのウルトラ・ラーナーたちに共通する特徴の1つだ。それがウルトラ・ラーニングのトレードマークのようになっている理由は、私たちの多くが慣れ親しんでいる教育スタイルとは大きく異なっているからである。

何か新しいことを学ぶときには、得た知識をどこでどのように使うのかと自問するように習慣づけると良い。それに答えられれば、自分が行っている学習が、適切な文脈と結びついているかどうかを確認できる。そうでない場合、前に進むのには慎重になろう。その先に転移という、やっかいな問題が潜んでいるかもしれないからだ。

しかし直接学ぶという行為は、効果のある学習を行うために何をすべきかという問いに対する答えの半分でしかない。自分のスキルを最終的に活用したいと考えている環境で、多くの直接的な練習を行うことが重要な第一歩となる。ただスキルを素早く習得するためには、手当たり次第に練習するというのでは不十分だ。この点については、次の原則「基礎練習」において解説しよう。

第7章

原則4 基礎練習

弱点を突く

小節を練習していれば、自然に曲が弾けるようになる。
――フィリップ・ジョンストン、作曲家

ベンジャミン・フランクリンは起業家や発明家、科学者、外交官、そしてアメリカの建国の父と多くの役割を演じたが、何よりも彼は作家だった。彼に初めて成功をもたらしたのは、執筆活動だったのである。彼は兄の印刷所で見習いとして働いていたが、それから逃れるためにボストンを離れ、フィラデルフィアへと向かった。そこで彼は別の印刷所で働き、無一文で無名の存在から、自分の印刷所を立ち上げるまでになった。フランクリンが出版した『貧しいリチャードの暦』[注1]は世界的なベストセラーとなり、彼は42歳で印刷業から引退することができた。しかしその後半生において、彼の著作が世界を変える結果を

もたらすことになる。[注2]

科学者としてのフランクリンは数学が苦手で、宇宙の大理論を構築するよりも、実務的な成果を実現する方に興味があった。しかしサー・ハンフリー・デービーは、フランクリンの散文が「哲学者だけでなく、初心者に向けても等しく書かれている」[注3]と指摘し、さらに「彼は自分の文章を、明快であると同時に面白いものとして表現した」とつけ加えている。彼の文章が持つ力と、それがもたらした実務的な成果は、世界にセンセーションを巻き起こした。

政治の世界においても、フランクリンはその文章力で味方を獲得し、潜在的な敵を説得することもできた。アメリカ独立戦争の前、彼は当時のプロイセン王だったフリードリヒ2世が書いたものと思われていた「プロイセン王の布告」を執筆した。その中で彼は、ブリテン諸島からの初期の入植者たちはドイツ出身であったことから、プロイセン王が「彼らがイギリス内に広げていた植民地から収入を得るべき」であると提案することで、イギリスとアメリカの関係を風刺した。

後に彼の文章力は独立宣言にも活かされ、そこで彼は、トーマス・ジェファーソンの言葉を修正し、現在では誰もが知る「我々はこれらの真理を自明なものと信じる」という一文を書き上げた。

それほどの文章力や説得力を持っているとなれば、フランクリンがどうやってそうしたスキルを手に入れたか問う価値はあるだろう。多くの偉大な作家たちが自分のスキルを磨く努力を謎のままにしているのとは異なり、幸いなことに、フランクリン自身がどうやってそれを成し遂げたかについて語っている。彼は自伝の中で、少年時代に、作文のスキルをいくつかに分解して練習するという取り組みをしていたと説明しているのだ。また子どもの頃からすでに、彼は友人と女性教育の利点について議論していたのだが（フランクリンは賛成派、友人は反対派だった）、彼の父親はフランクリンの文章が説得力に欠けていることに気づいていた。そこでフランクリンは、「改善に努めることを決意」し、文章力を上げるための一連の練習を行った。

そうした練習の1つが、彼のお気に入りの雑誌だった「ザ・スペクター」に掲載されている記事のメモを取ることだった。メモを取ったら数日置いて、記憶だけで元の記事で展開されていた議論を再現するのである。そうしてから、彼は「書き上げた記事とオリジナルの記事を比較し、間違いを見つけて修正する」という作業を行った。

その中で自分の語彙が貧弱であることを実感したフランクリンは、別の戦略を考え出した。散文を詩に変えるという作業を行い、拍や韻に合った別の言葉を考えるトレーニングをしたのである。また修辞の面でのセンスを磨くため、先ほどの再現の練習を再開したのだが、今度はヒントとなる情報をごちゃまぜにしておき、自分で記事を書く際には、そこに登場する情報や主張を正しく並べ替えなければならないようにした。彼は文章の仕組みをある程度理解してから、説得力のある文章を書くという、より困難な目標に取り組んだ。
英語の文法書を読んでいたとき、彼はソクラテス的な方法、つまり直接的な矛盾を突くのではなく質問を通して他人の考えに挑戦するという発想に触れた。そして「明らかな矛盾を積極的に議論する」のではなく「謙虚に質問し、疑問を投げかける」ことに集中して文章を書くようになった。

こうした初期の努力は結果となって表れた。16歳のとき、彼は自分の作品を出版しようとした。しかし兄にあっさりと拒否されてしまうのではないかと恐れた彼は、筆跡を偽り、「サイレンス・ドゥーグッド」という田舎に住む未亡人を装ってエッセイを書くことにした。本当の作者が弟であると知らない彼の兄から、エッセイの出版に了解を得られたため、フランクリンはさらに多くのエッセイを書いた。

別の人格になって文章を書くという行為は、兄から公正な評価を引き出すための策略として始まったが、フランクリンのその後のキャリアにとって非常に重要なものとなった。たとえば『貧しいリチャードの暦』は、リチャード・サンダースとブリジット・サンダースという平凡な夫婦の視点から書かれ、「プロイセン王の布告」のような政治評論でも、仮想の視点を取り入れる柔軟性が駆使されている。

フランクリンが最初に優れた文章力を身につけていなければ、彼は今日のような有名人になっていなかっただろう。ビジネスであれ、科学であれ、政治であれ、彼に説得力を持たせ、偉大な人物にしたのは、彼の文章力だったのである。

彼が他の人々と異なっていたのは、大量の文章を書いたことでも、先天的な才能が優れていたことでもなく、彼の練習の方法だった。彼は文章力をいくつかに分解し、その要素を別々に練習することで、若くして文章力を手に入れ、彼を有名にする後の仕事に応用することができたのだ。こうした慎重な分析と実践が、ウルトラ・ラーニングにおける第4の原則「基礎練習」の土台となっている。

学習の化学反応
全体のパフォーマンスを左右する要素を特定する

化学には「律速段階」という概念がある。これはある化学反応が、複数の段階を経て発生する場合に起こる（たとえばある段階での生成物が、別の反応の試薬となるような場合）。律速段階はこの一連の反応の中で最も速度が遅い部分を指し、ボトルネックとなって、化学反応全体が完了するまでに必要な時間を左右する。

私は学習においても、同じことが言えると考えている。学習全体の中にある特定の要素が、目標とするスキルが上達するスピードを左右するボトルネックとなっているのだ。

数学の学習を考えてみよう。それは多くの異なる要素から構成される、複雑なスキルだ。基本的な概念を理解し、特定の種類の問題を解くためのアルゴリズムを記憶し、それをどのような文脈で使うのかを知らなければならない。

さらにこれらの能力の根底には、目の前の問題を解けるように計算と代数を使う能力がある。計算が苦手だったり、代数をきちんと理解していなかったりすると、他の概念をマスターしていても答えを間違ってしまうのである。

学習における律速段階の別の例は、外国語を学ぶ際の語彙力だ。学習者が上手く口に出せる文の数は、彼らがどのくらい単語を知っているかに左右される。その数が少なすぎると、あまり話せなくなってしまう。仮に何百という新しい単語を頭の中のデータベースに流し込むことができれば、たとえ発音や文法といった知識がなくても、あなたは急に外国語を流ちょうに話せるようになるかもしれない。

これこそ、基礎練習の背景にある戦略だ。学習における律速段階を特定することで、それを切り離し、具体的に対処することが可能になる。

律速段階はスキルによって獲得される総合的な能力を左右するため、それを集中的に改善することで、スキルのすべての面を一気に練習するよりも早く上達できるのだ。

それがフランクリンの文章力を急速に改善することを可能にした洞察だった。文章を書くというスキルの全体を構成する要素を整理して、その中で自分にとって重要なのはどれかを特定し、それを練習する巧みな方法を考え出すことで、彼は単に文章を書くことに多くの時間を費やすよりも、早く文章力を上達させることができたのである。

基礎練習と認知負荷

1つのスキルに「一点集中」して能力を伸ばす

学習における律速段階——複雑なスキルを構成するある要素が学習のパフォーマンス全体を左右する——の存在は、学習において基礎練習を取り入れる大きな理由だ。しかしそれが唯一の理由ではない。スキルを構成する要素の中で、パフォーマンスを低下させているものが1つもない場合でも、基礎練習を活用することを勧める。

その理由は、複雑なスキルを練習する場合、自分の認知能力（注意力、記憶力、集中力など）をタスクのさまざまな側面に分散させる必要があるからだ。フランクリンは文章を書くとき、自分の主張の論理的な内容だけでなく、言葉の選択や修辞法についても考慮しなければならなかった。

この点は、学習における罠を生み出しかねない。**1つの側面でパフォーマンスを向上させるには、その側面に多くの注意を払う必要があるため、他の側面のパフォーマンスが低**

下してしまうのである。

タスク全体だけを見ていると、それを構成する一部については上手くなっても、全体としてはパフォーマンスが悪くなるため、上達のスピードが遅くなるということになりかねない。

基礎練習は、認知能力を1つの側面だけに集中できるようスキルを単純化することで、この問題を解決する。フランクリンが以前に読んだ記事における議論の順番を再構築することに集中したとき、彼は単語の用法や文法などについて気にする必要はなく、アイデアをどのように並べたときに優れた文章になるのかを考える作業に、すべての注意を傾けることができた。

抜け目のない読者は、前章の原則である「直接性」と、基礎練習の間に緊張関係があることに気づくだろう。もし直接練習することが、学ぶスキルが最終的に使われる状況に近い場所で、スキル全体を使って行うものであるなら、基礎練習はそれとは逆方向のアプローチだ。基礎練習ではスキルを分解し、それぞれ独立して練習を行う。この矛盾をどうやって解決すれば良いのだろうか?

「直接から基礎練習へ」アプローチ

「直接学習」と「基礎練習」の間を行き来するのが有効

直接的な学習と基礎練習の間にある緊張関係は、それがより大きな学習サイクルにおいて、交互に登場するステップであると考えれば解消できる。多くの学術的な学習戦略に見られる誤りは、直接的な文脈を無視したり、それを抽象化してしまったりして、スキルを構成する要素さえ十分に開発されれば、最終的に転移が起きるだろうと期待してしまうことである。それとは対照的に、ウルトラ・ラーナーたちは、私が「直接から基礎練習へ」と呼ぶアプローチを使うことが多い。

最初のステップは、スキルの直接練習だ。これはスキルがどこで、どのように使用されるかを把握し、練習時に可能な限りその状況に近づけることを意味する。たとえば語学学習の場合には、実際に話してみることでそれを練習する。プログラミングを学ぶ場合には、ソフトウェアのコーディングをしてみる。文章力を向上させたければ、エッセイを書いてみるといった具合だ。そうすることで、転移に関する問題の発生を防ぐのである。

次のステップでは、直接的なスキルを分析し、学習のパフォーマンスにおける律速段階となる部分や、他の部分と同時並行で学習してしまうと改善が困難になるサブスキルを分である。

離する。そして基礎練習を設計して、それぞれの部分を上達するまで個別に練習するのである。

最後のステップでは、直接練習に戻り、学んだことを統合する。これには2つの目的がある。第1に、たとえ基礎練習を上手く設計できたとしても、独立したスキルとして学んだことをより複雑な文脈に移さないと、転移の問題が発生し得る。それを回避するのだ。これは別々に鍛えた筋肉を結合する、新たな組織を形成するようなものだと考えてほしい。

第2に、このステップは自分の基礎練習が上手く、そして適切に設計されているかをチェックする機能を果たす。スキルを構成する要素で切り分けて基礎練習しようと思っても、上手く切り分けるのに失敗してしまうことが多い。これは問題ではない。このフィードバックが重要なのは、最終目標にあまり関係のないことを学習する時間の無駄を、最小限に抑えるためだ。

学習プロセスの中で早い段階であればあるほど、このサイクルのスピードを速くすることが求められる。学習を開始したときは特に、直接練習と基礎練習の間を行き来するのが有効だ。後に学習しているスキルが上達し、学習のパフォーマンス全体を目に見えて向上させるために、より多くの努力が求められるようになった際には、基礎練習に移るまでに長い時間をかけても良くなる。

完全に習得するタイミングが近づくと、複雑なスキルがどのような部品に分解されるかについての知識がより洗練され、正確なものになり、個々の部品の上達がますます難しくなるため、基礎練習に多くの時間を費やすようになるだろう。

基礎練習を設計する際の戦術

基礎を身につけるための5つのワザ

この原則を使う際に、主な問題が3つ存在する。第1に、いつ、何を基礎練習するかをどうやって決めるかだ。スキルを構成する要素の中で、どれがパフォーマンスを左右する律速段階なのかに注意しなければならない。どの要素を改善すれば、最小限の努力で能力全体を最大限まで向上させることができるだろうか?

マイクロソフトのエクセルに関する知識が表面的なために、会計の知識を現実の状況に当てはめることができず、結果として会計に関するスキルが限られたものになっているかもしれない。適切な単語を知っているのに、発音が正確ではないことで、その言語を話す力が制限されてしまっているかもしれない。

あるスキルを使うのに、同時に扱う必要のある要素に目を向けてみよう。それらを改善するのに必要な、認知的なリソースをすべてに注ぐことはできないため、スキルを向上させるのは難しいかもしれない。文章を書く場合には、リサーチ、ストーリーテリング、語彙、その他多くの要素を同時に進めなければならないが、たった1つでも上達させるのは難しい。その中からどの要素の基礎練習を行うか、選ぶのには注意が必要だが、身構える必要はない。実験してみれば良いのだ。

何が障壁になっているのかの仮説を立て、そして「直接から基礎練習へ」アプローチを使っていくつかの基礎練習を試してみることで、仮説が正しかったかどうかのフィードバックをすぐに手に入れることができる。

第2の問題は、改善を本当に実現してくれる基礎練習をどう設計するかである。これは容易なことではない。仮にスキルの中で自分が弱点としている要素を把握できていたとしても、その要素をトレーニングする基礎練習を設計する際に、実際の状況の中で要素の実行を難しくしている条件を、誤って取り除いてしまうことが多いためだ。

フランクリンが行った基礎練習は、恐らく一般的なものではなかっただろう。それはほとんどの人々が、自分の文章力の中で特定のサブスキルが弱いことを認識していても、文章を説得力のある順に並べたり、優れた書き手のスタイルを真似したりといった、サブスキルを練習する方法を工夫できるほどの才能を持っていないからである。

そして3番目の問題は、基礎練習を行うのは楽ではなく、しばしば不快であるという点だ。自分のパフォーマンスにおいて最も劣っている点を認識し、それを独立させて練習するというのにはガッツが必要だ。すでに得意としていることに集中して時間を過ごす方が、はるかに快適なのである。こうした自然な傾向があることを考慮した上で、基礎練習を実際に活用していけるよう、いくつかの適切な方法を見ていこう。

基礎練習1　時間分割

基礎練習を作成する最も簡単な方法は、長い一連のアクションを時間で分割することだ。ミュージシャンはこの種の基礎練習をすることが多い。曲の中で最も難しい部分を特定し、完璧になるまでそこを練習してから、曲全体を弾くわけである。アスリートもこの種の対応を行っており、試合全体の中で通常はわずかな時間しか占めないプレイ（バスケットボールであればレイアップシュートやフリースローなど）の基礎練習を行う。

私は語学学習を行う際、初期の段階でキーフレーズを繰り返し使い、それが短時間で長期記憶に残るようにしている。自分が学習しているスキルを時間で分割した際に、難易度や重要度が高い部分を切り出すことができないか探してみよう。

基礎練習2　認知要素での分解

練習しようとしているスキルを時間で分割するのではなく、特定の認知要素で分解できる場合もある。言葉を話すとき、文法や発音、語彙を同時に考慮しなければならないが、それらは別々の認知機能を駆使する必要がある。ここでの戦術は、実際には他の要素が同時に使われる場合でも、1つの要素だけを基礎練習できる方法を見つけることだ。

標準中国語を学んだとき、私は音程の異なる単語のペアを発音し、それを録音して確認するという基礎練習を行った。それによって、単語の意味を気にしたり、文法的に正しい文章になっているかどうかを確認したりする必要がなく、さまざまな音程を素早く練習することができた。

基礎練習3 コピー

多くの創造的なスキルにおける基礎練習の難しさは、そのスキルの1要素だけを切り出し、他の要素は使わずに練習することがほぼ不可能だという点にある。たとえばフランクリンが議論を論理的に構成する能力を改善しようとしたとき、彼はエッセイ全体を書く必要があった。

自分の学習における同様の問題を解決するには、フランクリンの解決策を参考にしてほしい。つまりスキルの構成要素のうち、基礎練習の対象外であるものはコピーしてしまい（他人の作品や、自分の過去の作品などから）、いま基礎練習しようと思っている要素だけに集中するのである。こうすることで、練習したい要素だけを繰り返せるため、時間の大幅な節約が可能になるだけでなく、認知負荷も軽減される。

つまり1つの要素だけを意識し、それを改善させることに集中できるのだ。似顔絵の練習を始めたとき、私は写真から似顔絵を描くだけでなく、他の人が描いた作品を真似るという練習も行った。これにより、構図をどうするかや、どこを詳細に描くかといった判断に悩まされなくて良くなり、写真を正確に描写するスキルに集中することができた。

柔軟性が高い創造的な作業では、自分の過去の作品を編集し直すだけでも同じ効果が得られる場合があり、作品の要素全体を再検討することなく、選んだ要素だけに集中して改善を行うことが可能になる。

基礎練習4 虫メガネ法

何か新しいものをつくる必要があり、また自分の練習したい要素を切り離すことができないとしよう。その場合、どうやって基礎練習を行えば良いだろうか？

虫メガネ法では、他の方法を使う場合よりも多くの時間を、スキルの1要素に費やす。これにより、全体的なパフォーマンスが低下したり、練習に費やす時間が増加したりする可能性があるが、習得したいサブスキルに、より多くの時間と認知的リソースを割くことができる。

私は記事を書く際のリサーチ力を高めようとした際に、この手法を使った。これまでの10倍の時間をリサーチに費やすようにしたのである。記事を書くためにスキルの他の要素も使う必要があったが、通常よりもずっと長い時間をリサーチに費やすことで、そのための新しい習慣やスキルを身につけることができた。

基礎練習5 前提条件をつなぐ

私が何度も目にしてきたウルトラ・ラーナーたちの戦略の1つが、それを上手く行うための前提条件を満たしていないスキルから取りかかるというものだ。当然彼らは上手くできないため、一歩下がって基本的な点を学び、再び練習を行う。

このようにハードな練習から始めて、求められる前提条件を学んでいくという戦略はフラストレーションが溜まるが、実際にはパフォーマンスに大きな影響を与えないサブスキルを学ぶのに時間を費やしてしまうことを、大幅に回避できる。

たとえばエリック・バロンは、ピクセルアートに関する実験を、とにかくそれに挑戦してみるということからスタートした。色彩など、特定の要素でつまずいたら、彼はその作業から一歩身を引き、色彩の理論を学ぶなどしてから作業に戻るということを繰り返した。ベニー・ルイスも同じように、会話表現集を使って話し始め、その背後にある文法を学ぶのは後回しにしている。

「創造」と「想像」を引き出す

「やらされる基礎練習」と「自分からやる基礎練習」は全然違う

多くの人々にとって、基礎練習という発想は、間違った方向に進んでしまうものに感じられるかもしれない。私たちは学校教育において、事実や手順を学ぶ基礎練習を宿題として課されてきたが、結局は時間の無駄だったからだ。

多くの場合、その理由は、自分に課せられた練習の背後にある理由や、それがより広い文脈にどう役立つかを知らなかったためだ。文脈なく基礎練習を行うというのは、思考を麻痺させてしまう。しかしそれが、自分の上達を妨げているボトルネックを解決するための手段であるということがわかると、そこに新しい目的が生まれる。

外部から強制されるのではなく、学習者自らがリードするウルトラ・ラーニングでは、基礎練習に新しい光が当てられるのだ。未知の目的のために学習を強いられる代わりに、自分が最も苦手とする要素の学びを加速することで、学習プロセスを前進させる手段をあなた自身が見つけるのである。

その意味において、基礎練習は従来の学習法とはまったく異なる性質を持っている。入念に設計された基礎練習は、意味のない単調な作業などではない。難しい学習課題を前に、それを分解して乗り越えようとすることで、学習者の創造性と想像力を引き出すのである。

基礎練習は難しいため、多くの人々はそれを避けたいと考える。私たちが基礎練習を行うとき、それは自分が上手くできて、快適だと感じることに偏ってしまいがちだ。したがって基礎練習を行う際には、学習者は学習の内容について深く考えるだけでなく、楽しく感じることやすでに習得したことに集中してしまわないよう、自分にとって何が最も難しいかを理解し、その弱点を直接攻撃する必要がある。

そのためには強いモチベーションと、積極的に学習するのを快適に感じる姿勢が必要だ。フランクリンは自伝において、執筆に関する基礎練習に費やした時間の長さについて「私はこうした練習と読書の時間を、夜に仕事を終えてから、朝に仕事を始めるまでの間に取った」とコメントしている。卓越した文章力によって成功を収めたフランクリンだが、それでも彼は親方である兄の印刷工場で長時間働かねばならず、わずかな自由時間で懸命にスキルを磨いたのである。エリック・バロンも同様に、ピクセルアートを何十回とつくり、それが完璧になるまで、上達の前提条件となる概念や理論をマスターしていった。

ウルトラ・ラーニングの原則に共通して繰り返し登場するパターンが、基礎練習の難しさと有用性にも表れている。精神的に厳しい作業は、何かを簡単に学ぶことより大きな利益をもたらしてくれるのである。このパターンが最も明確に表れるのは、次に紹介する原則「回想」だ。回想では、難しさそのものが、より効果的な学習を実現するカギとなる。

第8章

原則5 回想

学ぶためにテストする

ある本をもう一度読もうとするより、心の中で思い返してみる方が良い。
――ウィリアム・ジェームズ、哲学者

1913年の春、数学者のG・H・ハーディは、その後の生涯を決定づけた一通の手紙を受け取った。インドのマドラス港湾公社で働く経理担当者から送られてきたその手紙には、控え目な自己紹介とともに、驚くべき内容が書かれていた。手紙の差出人は、当時最高の数学者ですら解いていなかった、数学に関する定理の解法を発見したと主張していた。さらに彼は、自分が大学教育を受けておらず、独自の研究によってその結論を導き出したのだと説明していた。[注1]

風変わりなアマチュアが、数学上の有名な問題を解いたと主張する手紙を受け取るというのは、ハーディのような数学の第一人者にはよくあることだった。そこで彼は最初、この手紙もその同類だと考えて一蹴しようとした。しかし手紙に添付されていた、何ページにもわたるメモをめくっているうちに、そこに書かれていた方程式が頭から離れなくなった。

そして自分が何時間も考え込んでいるのに気づいた彼は、同僚のジョン・リトルウッドに手紙を渡した。2人がこの奇妙な主張について考察してみると、方程式の中には多くの努力を積み重ねた後に証明が可能だと判明したものもあれば、ハーディの言葉を借りれば「ほとんど信用できない」まま残されるものもあった。もしかしたら、これは単なる変わり者からの手紙ではないのかもしれない。ハーディはそう考えるようになった。

手紙に書かれていた方程式は、あまりに奇妙かつ異質なもので、ハーディが「これは正しいに違いない、もしそうでないなら、こんなことを思いつく想像力を持つ人間などいないだろうから」と表現したほどだ。その日ハーディが漠然と理解していたのは、彼が史上最も聡明で奇怪な数学者の1人に出会ったということだった。その人物こそ、シュリニヴァーサ・ラマヌジャンである。

ラマヌジャンの才能

「解説のない数学の教科書」が天才を育てた

数学の歴史を変えることになったハーディへの手紙を書くまで、ラマヌジャンは貧しくてぽっちゃりした南インドの少年だった。しかし彼は、数学の方程式に特別な愛情を抱いていた。彼は何より数学を愛していたのである。彼の数学への愛は、たびたびラマヌジャンを困難な状況に陥らせた。他の科目を勉強する気が起きず、大学を退学させられてしまったこともあった。

彼の心の中にあったのは、方程式だけだった。休暇中や失業中には、ラマヌジャンは家の前のベンチに何時間も座り、石板を使って方程式と格闘した。夜更かししすぎて、母親が彼の手に食べ物を渡してやらないといけないことすらあった。

当時の数学界の中心地から何千マイルも離れた場所に住んでいたため、高度な数学の教科書を手に入れることは、ラマヌジャンにとって大きな問題だった。そんな中で彼が出合い、隅々まで学びつくした一冊の本が、ジョージ・カーの『純粋数学・応用数学における初歩的結果の要覧』だった。

この本を著したカー自身も、数学の天才というわけではない。学生向けのガイドとして書かれた本書には、数学のさまざまな分野における定理が整理された長いリストがついていたが、そのほとんどに説明や証明はついていなかった。しかし説明や証明がなくても、カーの本はラマヌジャンのように聡明で、数学に取りつかれた人にとっては、大きな価値のある教材となったのである。

彼はそれを使い、単にある定理がどうやって導き出されたのかの説明を暗記するのではなく、自分でその解法を見つけ出さなければならなかった。

ハーディを含む当時の評論家の多くは、ラマヌジャンが子ども時代に貧しい家庭環境で育ったことと、数学の最先端に触れるのが遅れたことが、彼の天賦の才に取り返しのつかない損害を与えた可能性があると主張したが、現代の心理学は別の見方をするかもしれない。

ラマヌジャンが数学の方程式に奇妙な執着心を抱き、カーの本に載っていた定理の長いリストと格闘していたとき、彼は知らず知らずのうちに、何かについて深く理解するための最も強力な方法の1つを実践していたのである。

「思い出す」が最強の戦略だった

「回想」は非常に強力な学習ツール

自分が期末試験の準備をしている学生だと思ってほしい。限られた学習時間をどう使うかについて、3つの選択肢がある。第1に、教材を復習することだ。内容を覚えられたと感じるまで、ノートや教科書を読み返して勉強し直すことができる。第2に、自分でテストをしてみることができる。教科書を閉じ、何が書かれていたか思い出してみるのだ。最後は「概念マップ」の作成である。主な概念を図に書き出し、それらが他の概念とどう関係しているのかを整理するのだ。この中で1つしか選べないとしたら、試験で最も良い成績を取るためには、どれを選択するべきだろうか?

これは心理学者のジェフリー・カーピックとジャネル・ブラントが、学生の学習戦略に関する研究において提起した問題だ。[注2] この研究では学生を4つのグループに分け、同じ学習時間の中で「1回だけ教科書を読み返す」「何度も教科書を読み返す」「学習内容を自由に思い出す」「概念マップを作成する」という別々の学習戦略を行うように指示した。

また各グループの学生に対し、次の試験で自分が何点取れそうかを予想させた。すると何度も教科書を読み返すグループが、得点が最も高くなると予想し、その次に1回だけ教科書を読み返すグループ、概念マップを作成するグループと続いた。学習内容を自由に思い出すグループ（教科書を見ずにできるだけ多くの内容を思い出そうとした学生）は、自分たちの成績が最悪になると予想していた。

しかし実際の結果は、予想とはまるで違っていた。教科書を見ずに情報を思い出す、つまり自らにテストを課すことが、他の戦略よりも優れていたのである。

教科書の内容と直接性がある問題では、教科書を見ずに回想する戦略の被験者たちは、他のグループよりもおよそ50パーセント多く記憶していた。「学習において何が重要か」という点について、何年間も直接経験してきたはずの学生たちが、実際には何が結果を生むのかについてこれほど見当違いをしてしまったのはなぜなのだろうか？

このような自己テストの優位性は、成績の測定方法が生み出した人為的な結果であると考えたくなるかもしれない。直接性の原則は、転移を生み出すのが難しいことを示している。そして自己テストは実際のテストに最も近いため、自己テストが他の方法よりも効果的なのは、この類似性によるものではないかというわけだ。

評価の方法が違えば、復習や概念マップの戦略を採用したグループの方が上位にくるのではないか、と考えるのは妥当だろう。しかし興味深いことに、カーピックとブラントは他の実験において、この説が正しくないことを証明している。こちらの実験では、学習後に学生が課せられた試験は、概念マップの作成であった。にもかかわらず、概念マップの作成を学習戦略とした学生のグループよりも、教科書を見ずに学習内容を自由に思い出す戦略のグループの方が、良い成績を残したのである。

自己テストが機能する理由として、もう1つ考えられる説は「フィードバック」である。何かを受動的に読み返してみても、自分が何を理解していて、何を理解していないかのフィードバックは得られない。しかしテストからはフィードバックが得られる。自己テストを行った学生が、概念マップの作成や受動的な復習を行った学生よりも成績が良かったのは、それが理由かもしれない。

フィードバックに価値があるのは事実だが、回想の利点は、単にフィードバックが増えることだけではない。前述の実験では、学生たちは自由に学習内容を思い出すように求められたが、何を忘れているか、あるいはどこを間違っているかに関するフィードバックは与えられなかった。

記憶から知識を呼び出そうとする行為は、直接的な学習やフィードバックとのつながりを超えて、それ自体が強力な学習ツールなのである。

学習に対するこの新しい視点は、なぜ定理のリストだけでその解説のなかったカーの本が、それをマスターしてやろうという十分なモチベーションを持つ人物の手に渡ったとき、数学に秀でるための素晴らしいツールになり得たのかを説明してくれる。

答えを与えられなかったラマヌジャンは、問題に対する自分自身の解法を編み出すことを余儀なくされ、本を読んで復習するのではなく、自分の頭の中から情報を引き出すしかなかったのだ。

学習のパラドクス

「受動的な復習」は長期記憶を形成しない

回想する、つまり記憶の中から事実や概念を呼び起こすという学習法がそれほど優れているならば、なぜ学生はそれに気づかないのだろうか？

単に本を閉じて、その内容をできるだけ多く思い出そうとするだけで、従来の学習法を上回る効果が得られるなら、なぜ多くの人々がこれまでの方法から離れようとしないのだろうか？

カーピックらの研究から考えられる説明はこうだ。人間は、自分がどれだけ上手く何かを学んだかを、確実に知る能力を持っていない。そのため過去の勉強を通じて得た手がかりを頼りにして、自分がどのくらい上手くやっているかを把握する必要がある。このいわゆる「既学習判断（ＪＯＬ）」は、私たちが何かをどれだけスムーズに行えるかにある程度基いている。

学習作業が簡単でスムーズだと、私たちはそれが身についたのだと信じるようになる。逆に苦労しているように感じると、まだそれが学べていないように感じる。時間をかけて勉強した直後であれば、こうしたＪＯＬは正確かもしれない。受動的な復習を学習戦略として実行した数分後であれば、学生たちは教科書を使わず思い返していた場合よりも成績が良くなる。[注3] 本を閉じて思い出そうとしているときではなく、本を読んでいるときにより多くのことを学んでいるという感覚は、間違っているわけではない。

問題はその後だ。数日後にもう一度テストしてみると、思い返す練習は、受動的な復習よりはるかに優れていたのである。勉強した直後に役立ったものは、本当の学習が達成されるために必要な「長期記憶」を形成してくれないことが明らかになった。

なぜ学生が回想ではなく、効率の悪い復習を学習戦略として採用してしまいがちなのか。もう1つの理由は、彼らが自分自身でテストを行うのに十分な材料を手にしていないと感じているためだ。別の実験において、カーピックらは学生自身に学習戦略を選ばせた。当然ながら、成績が振るわなかったのは、最初に教科書を復習することを選び、「準備ができた」と感じてからテストでの練習を始めた学生たちだった。[注4]

しかし研究者が介入し、テストによる練習を早く開始するよう学生に命じると、彼らの学習効果はアップした。自分の準備ができたと感じていようがいまいが、回想による練習は他の手法よりも効果的なのだ。特に回想と、答えを参照する手段が組み合わされると、回想による練習は多くの学生が選択する学習戦略のどれよりも、ずっと優れた勉強法となる。

「困難な回想」がより学習効果を上げる？

学習直後より時間を置いてからテストする方が効果的

回想による練習を、教科書の復習より優れた学習にするものは何だろうか？

1つの答えが、心理学者R・A・ビョークの提唱した「望ましい困難」という概念から得られる。[注5] 難しい回想であればあるほど、回想に成功したとき、より良い学習効果が得られるというのである。

学習内容を自由に思い出すテストでは、学生は促されることなく、できる限り多くのことを思い出す必要があるが、内容のヒントを与えられて思い出すテストを行うよりも、学生たちがより多くのことを覚えていられるようになる傾向がある。

一方でヒントを基に思い出すテストは、選択肢式問題のような認識テスト（そこでは正答を自分で生み出すのではなく、どれが正答なのか認識するだけで良い）よりも優れている。また学習者が何かを学んだ直後にテストを行うより、少し間隔を置き、答えが頭の中から消えたときにテストを行う方が、記憶が長く保持される。**難しさは、回想を機能させる上で障害となるどころか、機能する理由の1つであるかもしれないのだ。**

回想に関して「望ましい困難」という概念が存在することは、ウルトラ・ラーニング戦略を大きく後押ししてくれるものだ。集中度の低い学習戦略では、回想が行われることが少ないか、その内容が容易であることが多い。難易度を上げ、「準備ができた」と感じるずっと前に自分自身をテストする方が、より効率的だ。

初日から新しい言語を話すという、ベニー・ルイスの戦略を思い出そう。このアプローチは難易度が高いが、研究によって、より容易な学習形式である教室での授業よりも効果的である理由が明らかになっている。自分自身をより困難な状況に置くということは、ルイスが単語やフレーズを思い出す必要があるたびに、同じ回想が教室で行われる場合よりもそうした情報が強く記憶に残り、さらに単に単語やフレーズのリストを見て思い出す場合よりも、優れた記憶になることを意味しているのである。

しかし難易度が高すぎて回想に失敗するようになると、好ましくない結果になる場合がある。新たに学んだ学習内容を、時間を置いてからテストすることは、学習の直後にテストするよりもメリットが大きい。[注6] しかしあまりに長く時間を置くと、学習内容を完全に忘れてしまうかもしれない。[注7] したがって、適切な中間点を見つけるのが重要だ。つまり思い返す内容を深く記憶させるのに十分な間隔があり、すべてを忘れてしまうほど長くはないタイミングである。テストを行うまでに時間を置きすぎてはいけないのだが、テストの際にヒントを少なくするなどして難易度を上げるのは効果的だ（ただし後でフィードバックが得られる必要がある）。

テストは勉強を始める前にやった方がいい？

先行テスト効果で「検索」の機能を強化する

別の場所で（教科書を読むなり授業を聞くなりして）学習した知識を評価するためのもの、というのがテストに対する一般的な捉え方だろう。回想の概念は、この考え方を逆さまにするものだ。

つまりテストを受ける行為は、学習の源であるだけでなく、同じ時間を復習に使うよりも学習効果が高い手法というわけである。しかしこの点は、最初に知識を習得し、その後に強化やテストを行うという従来の考え方に依然として合致している。

回想に関する研究から得られた、「先行テスト効果」として知られる興味深い現象は、回想は過去に学んだことを強化するだけでなく、より良い学習に向けて準備することにも役立つと示している。[注8] 以前に学習した情報を定期的にテストすることは、新しい情報を学習することを容易にする。

これは回想が、未来の学習も強化することを意味している。まだ回想するものが頭の中になくても良いのだ。

この先行テスト効果がなぜ存在するのか、さまざまな説が唱えられている。ある説では、まだ学んでいない知識を見つけ出そうと努力すること（たとえばまだ教わっていない問題を解決しようとすること）は、後でその知識に遭遇した際に使用する「検索」の機能を強化することに役立つと考えられている。

この説では、「頭の中にまだ存在しない答えを見つけようとすることは、まだ建設されていない建物に通じる道を敷くようなもの」という喩えが使われている。その道には目的地が存在しないが、目的地が建設された際、つまり目的の知識が得られた際にそこへいたる道が、いずれにしてもつくられるのである。

また他の説では、注意力に注目している。答えがわからない問題に直面すると、学習者の心は自動的に注意力を調整し、後で答えのように思われる情報を学習した際に、それに気づくようにするのである。そのメカニズムがどのようなものであれ、先行テスト効果の存在は、回想による練習は自分が「準備完了」だと感じる前どころか、学習自体を始める前から行っても、効果が得られることを意味している。

何を思い出すべきか？

頭の中に一定量の知識がないと、難しい問題を解決することはできない

研究の結果は明らかだ。何かを後で思い出す必要があるのなら、回想によって練習するのが一番なのである。しかしまだ、重要な問題が残されている。そもそもどのような情報を思い出す練習の対象にすべきなのだろうか？

同じ学習効果を得ようとした場合、回想による練習はテキストによる復習よりも少ない時間で済むが、すべてをマスターする時間は誰にもない。私はＭＩＴチャレンジにおいて、多くの科目を学んだ。その中のいくつかは、チャレンジが終わった後にやりたいと思っていたプログラミングに直結していたため、学んだことをしっかりと覚えておくのが優先事項だった。

他にも興味深い科目があったが、それらをすぐに使う予定はなかったため、技術的な計算式を解くことよりも、基礎となる概念を記憶することに力を入れた。たとえば私が受け

た授業の中に、様相論理に関するものがあった。私は論理学者になるつもりはなかったため、正直なところ8年が経過したいま、様相論理の定理を証明することはできない。しかし様相論理がどのようなもので、いつ使用されるのかを説明することはできる。

そのため授業で学んだテクニックが役に立つ状況が発生した際には、すぐにそれを見抜くことができるだろう。[注a] これはマスターしておきたいという分野もあれば、必要に応じて参照できれば良い、という分野もあるはずだ。

この質問に答える方法の1つは、直接練習をしてみることだ。そうすると、学んでいるスキルを使う際に、何を頻繁に思い出すことを強いられるのかがわかる。新しい言語を学んでいて、単語を思い出さなければならないのなら、それを学習すれば良い。不要な単語は覚えないだろう。

この戦略の利点は、最も頻繁に必要となる事柄を学習するよう、学習者が自動的に導かれるという点だ。 あまり使われないものや、覚えるよりも調べた方が早いものは、回想の対象にならないのである。そしてそれらは、あまり重要でないことが多い。

ただ直接練習だけに頼るのは問題だ。頭の中にない知識は、問題を解決するために使用できないからである。たとえばあるプログラマーが問題を解決しようとしていて、そのために特定の関数を使用する必要があることに気づいていながら、その書き方を忘れてしまっているとしよう。

彼女はその文法を検索する必要があるが、それでも問題を解くことができる。しかしある関数を使用することでその問題が解決できることに気づけるだけの知識がなければ、検索しても意味がない。

過去20年間で、高速なオンライン検索を使って容易にアクセスできる知識の量は爆発的に増加した。大部分の事実や概念は、スマートフォンを持っていれば誰でもオンデマンドで手に入る。しかしこの飛躍的な進歩にもかかわらず、平均的な人間が一世代前の人々の何千倍も賢くなっているわけではない。**検索に頼れるようになったことは確かに利点だが、頭の中に一定量の知識がないと、難しい問題を解決することはできないのである。**

直接練習だけだと、問題を解決してくれるかどうかわからない情報が頭から抜けてしまい、十分な回想ができなくなる可能性がある。再びプログラマーが問題を解決しようとしている場面を想像してみよう。

この問題には、AとBという2つの解決策がある。オプションAの方がはるかに効果的だが、Bの方でも問題は解決できる。いまこのプログラマーが、オプションBしか知らないとする。彼女は自分の知っている方法で問題を解こうとするが、それは効果的ではない。もしかしたら彼女は、どこかのブログでオプションAについて読んでいるかもしれない。しかし単に何かを読むことは、繰り返し思い出そうとするよりはるかに効果が薄いため、そこに書かれている技術を適用する際には忘れてしまっている可能性がある。

これは抽象的な話に聞こえるかもしれないが、プログラマーにはよくある状況であり、平凡なプログラマーと偉大なプログラマーを分けるのは、解決できる問題の広さではなく、後者の方が問題を解決する無数の方法を知っており、状況に応じて最適な方法を選択できるという点だ。

こうした知識の広さを身につけるには、ある程度問題を経験することが必要であり、それには回想の練習が役立つ。

回想を練習する方法

学習に「思い出す」を組み込むための5つの戦術

回想は有効な手法だが、必ずしも容易ではない。その取り組み自体が障壁になったり、方法が明確でなかったりする場合もある。受動的な復習は効率的ではないかもしれないが、少なくとも単刀直入な手法だ。教科書を開いて、それを覚えるまで熟読すれば良いのである。

ただほとんどの本や教材には、その内容を覚えているかどうかテストするための質問リストなどはついていない。この点を解決するために、ほぼあらゆるテーマにおいて、回想を活用するために使用できる方法を解説してみよう。

戦術1 フラッシュカード

フラッシュカードは質問と回答の対応関係を学習できる、驚くほどシンプルだが効果的な方法だ。7番目の原則「保持」の章で解説するように、紙でフラッシュカードをつくって練習するという古いやり方も強力なのだが、現在では間隔反復ソフトに取って代わられている。

このソフトウェアのアルゴリズムは、何万件もの「カード」を扱うことができ、さらに復習を行うスケジュールも管理してくれる。

フラッシュカードの大きな問題は、特定のタイプ（特定のヒントと回答がペアになっている場合）の回想にだけ非常に適しているという点だ。外国語の語彙を覚える際など、一部の知識については、フラッシュカードは完璧に機能する。同様に地図や解剖図、定義、方程式などを覚える際にはフラッシュカードが有効だ。

しかし情報を記憶しておく必要がある状況が非常に変わりやすい場合には、この種の方法は向かない。プログラマーはフラッシュカードを使って関数の文法を覚えられるが、実際のプログラムに当てはめなければならない概念の方は、フラッシュカードのような「ヒントで思い出す」形式の練習には合わないことが多い。

戦術2　自由再生

回想を行う単純な方法は、教科書を読んだり授業を受けたりした後で、覚えていることをすべて白紙に書き出してみるというものだ。この方法「自由再生」は非常に難しいことが多く、教科書を読んだ直後に行っても、多くの内容を忘れてしまい、書けないだろう。

しかしこの難しさこそ、回想が機能する理由でもある。要点と論点を思い出そうとすることで、後でそれらをより思い出せるようになるのである。たとえば私は、本書のためのリサーチをしていたとき、よく雑誌記事を印刷してバインダーに入れ、それぞれの後ろに白紙を何枚かつけるということをした。記事を読み終えたらその白紙に自由再生をして、本を執筆するタイミングまで重要な点を覚えていられるようにしたのである。

戦術3　質問帳

ほとんどの学生は、ポイントだと思うところを見つけると、それをコピーする形でノートにとる。

しかしノートをとる際には、もう1つの方法がある。それは内容を質問形式で記し、後で回答できるようにするというものだ。

たとえば「マグナ・カルタは1215年に調印された」と書く代わりに、「マグナ・カルタが調印されたのは何年か?」とするのである。そして答えを忘れたときのために、どこでそれを参照できるかも記しておく。回答ではなく質問としてノートをとることで、後で回想の練習に使える教材をつくれるのである。

私はこの戦術を使おうとして、間違った質問に焦点を合わせるという誤りを犯してしまったことがある。計算論的神経科学のテキストを勉強していたとき、特定の神経回路の発火率や、特定の理論を考案した人物など、あらゆる側面について詳細な問題をつくってしまったのだ。

それは意図的にそうしたのではなく、教科書に載っていた事実を機械的に言い直していただけの結果であった。もっと難しく、そして有益な問題のつくり方は、1つの章やセクションが解説している大きな概念を質問として言い直すことだ。それは明確ではないことが多いため、教科書から一文を抜き出して最後にクエスチョンマークをつける、などといった単純な作業ではなく、より深く考える必要がある。その際に私が便利だと思ったルールの1つは、作成する問題を、教科書の1つのセクションにつき1つに限定するというものだ。そうすることで、後でほとんど意味をなさなくなる些細な点をクローズアップしてしまうのではなく、どこが要点なのかを考え、それを言い換えることを自らに強いることができる。

戦術４　課題作成

ここまでの方法は、教科書や授業で出合うさまざまな事実や、広い概念を要約したものなど単純な情報を思い出す場合に適している。しかし単に情報を記憶するだけでなく、実践的なスキルを学ぼうとしている際には、それだけでは不十分な場合がある。

プログラマーの場合、あるアルゴリズムが何を意味するのかを理解するだけでは足りないが、それをプログラムの中で書くことはできる。こうしたケースでは、教科書などの教材を使って、後で取り組むことのできる課題を作成できる。

何か新しいテクニックの存在を知ったとき、実際の例の中でそのテクニックがどう使用されるかを示すメモを書いておくようにしよう。そうした課題のリストを作成しておくと、それが後でスキルを実践の中でマスターするためのヒントとして機能し、実際に使うことのできるツールのライブラリを拡張することができる。

戦術５　参照禁止

ヒントを探すことを禁止すると、あらゆる学習が回想を行う機会となる。概念マップを書くという戦略は、カーピックとブラントの実験においては学生たちに有効ではなかったが、マップを作成するときに教科書を見ないようにすることで、効果を大幅に上げることができる。

最初の実験でこれが行われていたら、教科書を見ずに概念マップを作成した学生たちは、概念マップを作成するという最終試験において良い成績を収めていただろう。直接練習であれ基礎練習であれ、どんな練習でも何かを参照せずに行うことができる。

情報源を参照できないようにすることで、情報は参考書の中にあるものではなく、頭の中に保存された知識へと変わるのだ。

ラマヌジャン再考

「回想」が偉人たちの才能を伸ばした

ラマヌジャンが聡明な人物であったことに異議はない。しかし彼の賢さは、ウルトラ・ラーナーたちが使う2つのツールによって支えられていた。強烈と言えるほどの集中的な学習と、回想による練習である。

朝から晩まで石板を使って勉強し、説明のほとんどないカーの定理リストを解き明かそうとするのは、信じられないほど大変な作業だっただろう。しかしそれは同時に「望ましい困難」をもたらした。その困難は、彼が後に数学界に大きな功績を残すことを後押しする、ツールの膨大なライブラリを頭の中に構築することを可能にしたのである。

ラマヌジャンが数学の才能を伸ばす上で、回想は重要な役割を果たしたが、この戦術を利用したのは彼だけではない。私が調査した、ほぼすべての偉大な天才や現代のウルトラ・ラーナーの経歴の中には、ある種の回想の実践が確認できる。

ベンジャミン・フランクリンは記憶からエッセイを再構築することで、文章力を鍛えた。メアリー・サマヴィルは夜にロウソクが点けられず、読書ができないときには、心の中で問題を解いた。ロジャー・クレイグは正解を見ずに雑学を答える練習をした。回想は天才を生み出すのに十分なツールではないかもしれないが、必要なツールである可能性があるのだ。

しかし単に復習するのではなく答えを導き出そうとすることは、より大きなサイクルの半分にすぎない。回想を本当に効果的にするには、頭の中で出した答えが正しかったかどうかを知ることが役立つ。

テストで苦労するのは不愉快だという理由から、準備が整うまでテストを避けてしまうのと同じように、私たちは自分のスキルがどの程度なのかに関する情報を得ようとするのを、自分に自信がつくまで避けてしまうことが多い。

そうした情報を効果的に処理し、そこに含まれるメッセージを正確に聞き取ることは、必ずしも容易ではない。しかしそれこそ、その作業が非常に重要な理由だ。そこで次のウルトラ・ラーニングの原則「フィードバック」の出番である。

第9章

原則6 フィードバック

パンチから逃げない

誰にでも作戦がある――口にパンチを食らうまでは。
――マイク・タイソン

舞台裏にある狭い通路から、名前を呼ばれたクリス・ロックがステージへと出て行く。コメディのライブを開催すれば売り切れ続出のロックは、決して駆け出しの芸人などではない。彼のパフォーマンスはまるで、ロックコンサートのようだ。彼はエネルギッシュで、ジョークの決めぜりふをコーラスのように繰り返すことで知られている。

そのリズムは非常に正確で、彼はどんなものでも笑いに変えられるのではないかと感じるほどだ。

しかし問題は、まさにこの点にある。自分の行動のすべてに笑いが起きるとき、何が本当に面白いジョークを生み出している要素なのか、どうやって判断すれば良いのだろうか？

ニューヨーク市のグリニッジビレッジに、コメディセラーというクラブがある。レンガ造りの控え目なステージは、満員のコンサートホールや熱狂的な観客とはほど遠い。そこに立てられた1本のマイクに向かって、ロックが歩いて行く。彼の手の中には、ちょっとしたフレーズを走り書きしたメモがある。それは彼の祖父（週末に牧師をしているタクシードライバーだ）から教わった、新しいことを試す際のテクニックだった。

トレードマークである攻撃的なスタイルは影を潜め、彼はどんどん後ろの壁にもたれかかる。ここは彼の研究室であり、ロックはこれからコメディを披露して、それを実験と同じくらいの精度で調べようとしているのである。

観客はロックが予告なしに、この小さなステージに現れたことに驚いている。「そんな良くないよ――このギャラじゃね」と彼は言う。[注1]「こんなギャラじゃ、いますぐ出てってやる！」。彼は観客からどんなコメントがくるかを予想していた。「クリスが出てきたと思ったら、出て行ってしまいました――面白かった！　彼は何のジョークも言わなかったけど、でも良かった！」

メモを片手にしたロックは、観客に対して冗談めかして、これは典型的な「クリス・

ロックのパフォーマンス」ではないと警告している。彼はその代わりに、研究室のように制御された環境において、新しいネタを開発したいと考えていた。「あなたが有名なら、観客は6分間時間をくれるでしょう」と彼は説明する。「そこで駆け出しの芸人に戻って、ネタを試してみることができます」

彼は何が本当に観客を笑わせるのかを知ろうとしていたのだ。

同じような手法を採用しているのは、ロックだけではない。コメディセラーは大物が登場することで有名だ。デイヴ・シャペル、ジョン・スチュワート、エイミー・シューマーといったコメディアンたちがこのステージに立ち、ゴールデンタイムのテレビ番組やコンサートホールのライブでネタを披露する前に、少数の観客の前で、何が受けるかを実験しているのである。

大勢の観客を集めて大金を稼ぐことが簡単にできるのに、なぜ彼らは小さなクラブでパフォーマンスを行うのだろうか？　なぜ予告もなしに現れて、才能を安売りしようとするのか？

ロックを始めとする有名コメディアンたちが認識しているのは、ウルトラ・ラーニングの第6の原則である「フィードバック」の重要性だ。

ウルトラ・ラーニングとこれまでの学習法を分けるもの

即時性、正確性、厳しさのあるフィードバックを求めろ

フィードバックはウルトラ・ラーニングで使う戦略の中で、最も一貫して見られるものの1つだ。ロジャー・クレイグは「ジョパディ！」で出題された過去問を自ら解いてみることで、即座にフィードバックを得た。ベニー・ルイスは新しい言語を学び始めた初日に、その言語で見知らぬ人に話しかけてみることで、あまり心地よいとは言えないフィードバックを得た。

このようにフィードバックを得るというのは、私が会ったウルトラ・ラーナーたちが共通して使っている手法だ。**ウルトラ・ラーニングと従来の学習アプローチを分けるのは、提供されるフィードバックの即時性、正確性、そして厳しさである。**

トリスタン・デ・モンテベロは、トーストマスターズの会員の大部分がするように、スピーチの台本を入念に書き上げ、それから1～2ヶ月に一度スピーチするという通常の準備をすることもできた。しかし彼はそうせず、この世界に頭から飛び込み、さまざまな場所を訪問して週に数回スピーチを行い、異なる視点からの意見を集めた。

このように、他人からのフィードバックに真正面からぶつかるというのは不快な経験

だったが、ぐずぐずせずフィードバックに没頭することで、ステージに立つという体験から生まれる多くの不安に慣れることもできた。

K・アンダース・エリクソンを始めとした心理学者たちは、専門知識の獲得に関する理論である「集中的訓練」の概念を提唱した。この集中的訓練の研究において、フィードバックは中心的な役割を演じている。

エリクソンは研究を通じて、自分のパフォーマンスについて即座にフィードバックを得る能力は、パフォーマンスが専門家レベルにまで到達するために不可欠な要素であることを発見した。フィードバックが得られないと、スキルの上達が停滞してしまうことが多い。スキルを長い間使い続けても、改善されないのである。

逆にフィードバックがないことで、能力が低下する場合さえある。開業医が経験を積むと腕が悪くなることがあるが、それは医学部の在籍期間に蓄積された知識が次第に薄れ、また彼らの診断から正確性が失われても、学習を促すようなフィードバックが迅速に与えられないためである。[注2]

フィードバックの逆効果

マイナスの影響を与えるフィードバックに気をつける

フィードバックが重要というのは、それほど驚くことではないだろう。私たちは皆、自分の行動が正しいか間違っているかに関する情報を得ることが、学習を加速させると直感的に理解している。さらに興味深いことに、フィードバックに関する研究によれば、それは多ければ多いほど良いというものではない。重要なのはフィードバックの種類である。

アブラハム・クルーガーとアンジェロ・デニシは大規模なメタ分析を通じて、学習においてフィードバックを提供することの影響に関する数百件の研究を調査した。[注3] **フィードバックの全体的な効果は肯定的なものであったが、注目すべきは、38パーセント以上の事例において、実際にはフィードバックがマイナスの影響を与えていたという点である。**

この調査結果をどう捉えれば良いのだろうか。一方において、集中的訓練に関する研究結果が示しているように、専門知識の獲得にはフィードバックが不可欠である。またフィードバックはウルトラ・ラーニング・プロジェクトにおいても重要な役割を演じており、フィードバックの源を得られなかったら、ウルトラ・ラーニングが成功するとは考えづらい。しかしもう一方で、フィードバックが常に肯定的なものではないという証拠も出ている。この矛盾をどう説明すれば良いのか？

クルーガーとデニシは、その理由は与えられるフィードバックの種類にあると主張している。フィードバックは、将来の学習の指針となる有用な情報を提供する場合に有効だ。何が間違っているのか、あるいはどうすれば修正できるのかをフィードバックが教えてくれるなら、それは強力なツールになる。しかし相手の人間性に向けられたフィードバックは、裏目に出てしまうことが多い。

教師が頻繁に使用する（そして生徒たちが喜ぶ）一般的なフィードバックである「称賛」は通常、その後の学習にとって有害となる。フィードバックが学習者個人に対する評価として行われる（「君は賢いね」や「怠け者だ」など）場合も、学習にとってはマイナスの影響を与えるのが一般的だ。

さらに有益な情報が含まれるフィードバックであっても、モチベーションを上げるものや学習のツールとして、正しく処理される必要がある。

クルーガーとデニシは、フィードバックのマイナスの影響を証明した研究の一部では、対象者自身がフィードバックを建設的に使おうとしなかったことがその理由になっていると解説している。フィードバックを拒絶したり、自らに期待するハードルを下げたり、学習行為自体を諦めてしまったりするのである。彼らはまた、「誰からのフィードバックか」も重要であることを解説している。仲間や教師からのフィードバックは、どうすれば能力を高められるかという単なる情報以上に、重要な社会力学を持つのだ。

私はこの研究について、2つの点に注目している。第1は、参考になるフィードバックは有益であるものの、それが適切に処理されなかったり、使える情報を提供するのに失敗したりすると、逆効果になることが明白であるという点だ。つまりフィードバックを求める際には、次の2つに注意する必要がある。

1つは、改善につながる具体的な情報を提供しないフィードバック（肯定的と否定的の両方）に過剰反応することである。ウルトラ・ラーナーは、どのようなフィードバックが実際に役に立つのかを察知し、それ以外のフィードバックを排除する必要がある。私が出会ったウルトラ・ラーナーの全員がフィードバックを活用していたものの、彼らがすべてのフィードバックに反応していたわけではないのは、それが理由だ。たとえばエリック・バロンは、自身が開発しているゲームの初期版に対するすべてのコメントや批評に耳を傾けていたわけではない。多くの場合、彼は自身のビジョンに反するフィードバックを無視した。

そしてもう1つは、誤って適用された場合、フィードバックはモチベーションに悪影響を与えることである。否定的なフィードバックはモチベーションを下げるが、過度に肯定的なフィードバックにも同じことが言える。

ウルトラ・ラーナーは両方のバランスを取り、現在の学習段階に適したレベルのフィードバックを求めなければならない。私たちは皆、辛辣なだけで役に立たない批評がどんなものか知っている(そしてそれを本能的に避けている)が、自分が有名人であるということが自動的に生み出してしまう肯定的なフィードバックを無視するというロックの戦略も、この研究によって支持されている。

第2に注目しているのは、「普通の人々はフィードバックを求める努力を十分に行わないことが多く、そのためにそれがウルトラ・ラーナーの競争優位性をもたらす要因になっているのはなぜか」についての理由を、同研究が説明しているという点だ。

フィードバックは不快なのである。過酷で落胆させられることもあり、心地よくしてくれるとは限らない。クラブのステージに立って冗談を言うというのは、コメディのスキルを上達させる最善の方法の1つだろう。しかし気まずい沈黙が続くと、その行為自体が恐ろしくなることがある。同様に、習い始めたばかりの言語をすぐに話すことは、母国語を使った場合と比べてコミュニケーション能力が急激に低下するため、苦痛を伴う場合がある。

フィードバックに対する恐怖は、フィードバックそのものを経験するより不快に感じることが多い。その結果、マイナスのフィードバック自体が上達を阻害するというよりも、批判を聞くことへの恐怖が、私たちをフィードバックから遠ざけてしまうのである。最も過酷な環境に飛び込んでみるというのが、最善のアクションである場合もある。それによって、最初は極めて否定的なフィードバックが返ってきたとしても、結果的にはプロジェクトを始めることへの不安が和らぐからだ。そしてフィードバックが厳しすぎて役に立たなくても、それに慣れることを可能にしてくれるのである。

こうした行動はすべて、自信や決意、粘り強さといったものを必要とする。それこそ多くの自己管理的学習において、より速く結果をもたらす可能性のある、積極的なフィードバックの模索が無視されてしまっている理由だ。

人々は多くの場合、自ら情報源におもむき、直接フィードバックを得て、その情報に基いて素早く行動するのではなく、パンチを避け、多くを学習する潜在的なチャンスを逃してしまう。ウルトラ・ラーナーたちが短期間でスキルを身につけるのは、他の人々が弱い形でのフィードバックしか得られないか、あるいはまったくフィードバックのない練習法を選んでしまう間に、積極的にフィードバックを求めようとするからだ。

どんなフィードバックが必要か?
「結果フィードバック」「情報フィードバック」「修正フィードバック」

学習プロジェクトの形態によって、フィードバックはさまざまな姿をとる。ステージ上でコメディを行うのとコンピューターのプログラムを書くのとでは、まったく違う種類のフィードバックとなる。また高等数学を学ぶのと新しい言語を学ぶのとでは、フィードバックの使われ方が変わってくる。より良いフィードバックをどう手に入れるかという話は、いま何を学ぼうとしているのかによって答えが大きく異なる。

しかし学習プロジェクトごとに必要なフィードバックを具体的に説明するよりも、フィードバックがどのように使われ、促されるかを見ながらその種類を考えることの方が重要だろう。自分がどのような種類のフィードバックを得ているのかを知ることで、その限界を認識しながら、最大限に活用することができる。特に「結果フィードバック」「情報フィードバック」「修正フィードバック」という3つの種類を考えてみたい。

結果フィードバックは最も一般的で、多くの場合において、利用が可能な唯一のフィードバックとなる。情報フィードバックも一般的な存在で、結果を分解して、学習内容の一部に関するフィードバックを得ることができる場合と、結果全体に関するフィードバックのみが可能な場合があることを認識することが重要だ。修正フィードバックはあまり見られないが、上手く使えば最も学習を加速できる。

結果フィードバック　失敗したのか？

第1のフィードバックは結果のフィードバックで、これは最も細分化されていない。**結果フィードバックは「全体的にどれだけ上手くいっているか」を示すが、何が良くなっているのか、あるいは悪くなっているのかに関しては何も提供しないのである。**この種のフィードバックは、何らかの等級（A・B・Cや合格・不合格など）の形で与えられることもあれば、学習者が下す多くの決断に対する総合的なフィードバックの形で与えられることもある。トリスタン・デ・モンテベロがスピーチ後に会場から受けた拍手（もしくは沈黙）は、結果フィードバックの一例だ。自分のパフォーマンスが良くなっているのか、あるいは悪くなっているのかはわかるが、その理由や修正方法はわからないのである。

新製品を市場に投入した起業家も、この種のフィードバックを経験する。それは大ヒットするかもしれないし、まったく売れないかもしれないが、そうした結果は総合的な形で返されるため、製品のさまざまな要素に対するフィードバックへと分解することはできない。

値段が高すぎたのか？　広告がわかりづらかったのか？　パッケージが魅力的でなかっ

たのか？　顧客からのレビューやコメントによってこうした問いに対するヒントは得られるが、結局のところ、新製品が売れるかどうかというのは多くの要素が複雑に絡み合った結果なのだ。

この種のフィードバックは最も簡単に得られることが多く、研究によれば、何を改善すべきかについて具体的なメッセージを得られないフィードバックでも、役に立つ場合がある。

ある研究では、被験者に対して視力に関係するタスクへのフィードバックが行われた。[注4]それによると、そうしたフィードバックが大きな塊の形で与えられ、どの答えが正しくどれが間違っているのかについて被験者が有意義な情報を得られなくても、学習が促された。フィードバックがまったくないプロジェクトの多くは、この種の大きなフィードバックを得られる形に簡単に変えることができる。

たとえばエリック・バロンは、開発作業について語るブログを解説し、自分の取り組みを公開することで、初期のバージョンからフィードバックを得られた。何を改善し、変更しなければならないのかに関する詳細な情報を得ることはできなかったが、フィードバックが提供される環境に浸るだけで、彼にとっては有益だった。

結果フィードバックは、何種類かの形で、学習方法の改善に役立つ情報をもたらしてくれる。その1つは、目標に対するモチベーションとなるベンチマークの提供だ。他者から一定レベルのフィードバックを得ることを目標にしている場合、このフィードバックによってその達成度合いを確認できる。そしてもう1つが、自分が試しているさまざまな手法の、相対的なメリットをつかめるという点である。

上達が速い場合には、現在の学習法やアプローチを継続すれば良い。進歩が滞るようになった場合は、現在のアプローチのどこが悪いのかを考えるべきだ。結果フィードバックは完全ではないが、多くの場合はそれが唯一のフィードバックであり、学習状況に大きな影響を与える。

情報フィードバック　何に失敗したのか？

2番目は情報フィードバックだ。このフィードバックは何が間違っているかを教えてくれるが、必ずしも修正方法を教えてくれるわけではない。外国語のネイティブスピーカーとその言語を使って（自分に理解できる言語は使わずに）話すことは、情報フィードバックの練習になる。間違った単語を使うと、相手の混乱した表情から、自分の誤りに気づくことができる。しかし正しい単語が何であるかまではわからない。トリスタン・デ・モンテベロは観客の反応から、自分のパフォーマンスに関する全体的な評価に加えて、その瞬間その瞬間の自分の行動に対する生の情報フィードバックを得ることができた。このジョークは受けたのか？　話が退屈ではないか？　こうした疑問を、観客が目をそらす、後ろでおしゃべりしているといった光景から判断できるのである。

ロックが小さなクラブでコメディの実験をするのも、一種の情報フィードバックだ。彼は観客の反応から、あるジョークが受けているのかどうか判断できる。しかしどうすればもっと面白くなれるかは教えてくれない——コメディアンなのはロックであって、観客ではないのである。

この種のフィードバックは、それを与えてくれる情報源にリアルタイムで接することができる場合、簡単に取得できる。あるプログラマーがコーディングしていて、書いたプログラムが正しくコンパイルされず、エラーメッセージが表示されたとしよう。残念ながら彼には、そのメッセージを理解して何が悪かったのかを理解できるほどの知識がないかもしれない。しかし彼が何らかの対応をして、エラーが増えたり減ったりすれば、それをヒントとして問題を修正できるだろう。

また自分自身でフィードバックを返すというのも一般的な行為であり、場合によっては、他人からのフィードバックと同じくらい価値のあるものになる。絵を描いているときには、単に自分の描いている絵を見るだけで、筆の運びが頭の中のイメージ通りになっているのか、上手くいっていないのかを把握できる。この種のフィードバックは学習環境との直接的なやり取りから生まれることが多いため、ウルトラ・ラーニングの第3原則である「直接性」との親和性が高い。

修正フィードバック　どうやったら失敗を修正できるか？

フィードバックの中で最も望ましいのが、修正フィードバックだ。これは何が間違っているかだけでなく、それを修正する方法を示してくれるフィードバックである。多くの場合この種のフィードバックは、コーチやメンター、教師を通じてのみ得られる。ただし適切な教材を使用している場合には、自動的に得られる場合もある。

私はＭＩＴチャレンジにおいて、課題とその答えの間を行き来するという学習を行った。そのため問題を終えたとき、私の答えが正解か不正解かだけでなく、それが模範解答とどのように違うのかまで把握することができた。

同様に、フラッシュカードやその他のアクティブ・リコール〔原則５「回想」のように、学んだ内容を復習するのではなく、積極的に思い出すことで身につけようとする学習法〕系のツールは、学習者が推測を行った後に正答を示してくれることで、修正フィードバックを提供してくれる。

教育者のマリア・アラセリ・ルイズ・プリモとスーザン・Ｍ・ブルックハートは、次のように主張している。「最高のフィードバックとは、それを受ける生徒にとって有益で、有用なものだ。最適なフィードバックは、現在の状態と望ましい状態の違いを示し、さらに生徒が学習を改善するための一歩を踏み出すのに役立つ[注5]」

修正フィードバックの主な課題は、それが自分の誤りをピンポイントで指摘し、直して

くれる教師や専門家、メンターを必要とするという点である。しかしそうした人々を見つけ出す努力をするだけの価値が、修正フィードバックにはあるのだ。トリスタン・デ・モンテベロはマイケル・ジェンドラーとともに、スピーチの改善に取り組んだ。その結果、彼は自分のプレゼンテーションにあった気づきづらい短所を発見することができた。そうした短所は彼自身では見つけられず、経験の浅い聴衆からもたらされる、総合的なフィードバックからもわかることはなかっただろう。

この種のフィードバックは、何を改善する必要があるかを示すことのできない結果フィードバックや、何を改善すべきかを示すことはできるが、どのように改善すべきかを示すことのできない情報フィードバックに勝るものだ。ただし、内容の信頼性が低い場合もある。

トリスタン・デ・モンテベロはスピーチ後、しばしば矛盾するアドバイスを受けた。もっとゆっくり話すようにと言う人もいれば、もっと速くするようにと言う人もいたのである。そのような場合は、お金を出して先生を雇うのも有効だろう。彼らはあなたの間違いの本質を見抜き、苦労せずそれを正すことを可能にしてくれるはずだ。ウルトラ・ラーニングは自己管理的な性質を持つが、だからといって、学習は完全に自分自身の力だけで行うべきであるという意味ではない。

フィードバックの種類に関する補足

ウルトラ・ラーナーはフィードバックの取捨選択が上手い

ここでいくつか、注意すべき点がある。第1に、得られるフィードバックをより良いものへと「アップグレード」しようとする場合、それが実際に可能かどうか注意しなければならない。結果フィードバックから情報フィードバックへと切り替えるには、自分の行動の要素ごとにフィードバックを引き出す必要がある。いまのフィードバックが、自分の行動全体に対する総合的な評価として提供されているのであれば、それを情報フィードバックへと変えようとすることは裏目に出るかもしれない。

ゲームデザイナーはこの点を理解しているだろう。テストプレイヤーたちに「このゲームで気に入らなかったところはどこか」と尋ねると、誤った答えが返ってくることが多いからだ。キャラクターの色が気に食わない、BGMが嫌い、といった具合である。実際には、プレイヤーたちはゲームを総合的に評価しているため、この種のフィードバックを返すことができないのである。

プレイヤーの反応が個々の要素に対してではなく、ゲーム全体に対して生まれるのであれば、特定の要素について具体的なコメントを求めることは、彼らから推測で答えを返される結果になりかねない。

同様に、修正フィードバックには専門家として認められる人物からの「正しい」答えや反応が必要になる。専門家がいない場合や、正答を得られない場合、情報フィードバックを修正フィードバックにしようとすると、間違った対策が改善策として示され逆効果になりかねない。

デ・モンテベロによれば、大部分の人々が彼に与えたアドバイスはまったくと言って良いほど役に立たなかったが、そこに一貫性があるかを確認することが役立ったそうである。自分のスピーチが人によって大きく異なる反応を生み出しているとしたら、それはまだまだ改善の余地があるという意味だった。しかし人々のコメントに一貫性が見られるようになると、自分が何かをつかみかけていることがわかった。

つまりウルトラ・ラーニングでは、単にフィードバックを最大化するということはない。フィードバックから有益な情報を引き出すために、場合によってはその要素の一部を無視することも行われるのである。こうしたさまざまな種類のフィードバックのメリットと、それを可能にするための前提条件を理解することは、ウルトラ・ラーニングのプロジェクトに適した戦略を選択する上で欠かせない。

最適なタイミングはいつなのか？

なるべく早くフィードバックを受けて間違いを認識する

フィードバックに関する研究で興味深いのは、それがどれだけ迅速であるべきかという問題だ。間違いに関する情報をすぐに得るべきか？　それともしばらく待つべきか？

一般的に、研究室以外の環境では、即時のフィードバックの方が優れていると指摘されている。ジェームズ・A・クーリックとチェン・リン・C・クーリックは、フィードバックのタイミングに関する研究を調査し、「実際の授業における小テストや教材を用いた応用研究では、通常の場合、フィードバックを遅らせるよりも即時に行った方が効果的との結果が出ている」と解説している。[注6]

K・アンダース・エリクソンも同意見で、即時フィードバックが間違いの特定と修正に役立つ場合、またそれが、フィードバックの内容に基いて学習者がパフォーマンスの修正を行うのを可能にする場合には、即時に実施する方が望ましいと主張している。[注7]

興味深いことに、実験室を使った研究では、元の課題とともに正しい反応を示すことを遅らせる（遅延フィードバック）方がより効果的という結果になる傾向がある。なぜそうなるのか、最も簡単な説明は、課題と回答を再度提示することによって、学習者は一定の間隔を空けて再度情報に接する機会を得られるというものだ。

この説明が正しいとすると、記憶を強化したければ、即時フィードバックと遅延フィードバック（もしくはさらなるテスト）を組み合わせるのが最適であるということになる。間隔を空けて情報に触れることと、それが記憶にどのような影響をもたらすのかについては、次章「保持」において詳しく解説する。

科学的な研究の上では、フィードバックのタイミングについてさまざまな結果が出ているが、私は一般的に、より早いタイミングでのフィードバックを勧めている。それによって間違いを素早く認識できるためだ。しかしそうしていると、自分で答えを出したり問題を解いたりしようとベストを尽くす前に、フィードバックを得てしまうようになる恐れもある。

フィードバックのタイミングに関する初期の研究は、即時フィードバックが学習に対して、中立または負の影響を与えるという結論を示す傾向がある。しかしそこで行われた実験では、被験者はしばしば、すべての回答を行う前に正しい答えを見ることができるようになっている。[注8]つまり被験者は正しい答えを自分で考えようとするよりも、コピーしてしまうことが多いというわけだ。

フィードバックが早すぎると、回想による練習が実質的には受動的な復習になってしまう。そしてすでに解説したように、受動的な復習は学習効果が薄い。課題が難しい場合、正しい答えを見つけ出すのを諦める前にそれについてじっくり考えられるように、タイマーをセットしておくことを勧める。

フィードバックを改善する

学習の質を高めるフィードバックを得るための4つの戦術

ここまでで、学習におけるフィードバックの重要性がおわかりいただけただろう。また、なぜフィードバックが逆効果になる場合があるのかについても解説した。

そしてフィードバックには結果、情報、修正という3つの種類があること、それぞれの長所と前提条件を説明した。その上で、より良いフィードバックを得るための具体的な戦術について考えてみよう。

戦術1　ノイズを除去する

フィードバックには、シグナル（活用できる有益な情報）とノイズが存在する。ノイズはランダムな要因によって発生するため、過剰に反応しないようにする必要がある。たとえば文章力を向上させるために、記事を書いてオンライン上で公開しているとしよう。その大部分は注目されず、また注目されたとしても、自分ではコントロールできないことが原因である場合がほとんどだ。たまたま有名人がシェアしてくれたので、ソーシャルメディア内で拡散した、といった具合である。

もちろん書いた文章の質はこうした要因に影響するが、それはランダム性が大きいため、たった1つのデータポイントに基いて学習アプローチ全体を変えないように注意する必要がある。

スキルを向上させようとしている際、ノイズは本当にやっかいな問題となる。本当に上達するための情報を得るのに、はるかに多くの作業が必要になるからだ。注意を向けるフィードバックの流れを選別したり、変更したりすることで、ノイズを減らしてより多くのシグナルを得られるようになる。

オーディオ処理の分野で使われているノイズ除去のテクニックが、フィルタリングだ。音響技師たちは、人間の音声は特定の周波数帯域に入る傾向があるが、ホワイトノイズはすべての周波数帯に存在することを知っている。彼らはそれを利用し、人間の音声の周波数を増幅し、他のすべてを抑制することができる。

これと同じことをする1つの方法は、シグナルを増幅することによって、シグナルの代わりになるものを探すことだ。それは必ずしも成功を示すものではないが、ノイズの多いデータを排除するのに役立つ。たとえばブログの執筆では、サイト内にトラッキングコードを設置しておくことで、記事を最後まで読んだ人の割合を把握できる。これは必ずしも自分の記事が優れていることを示すものではないが、生のトラフィックデータよりはるかにノイズが少ない。

戦術2　難易度のバランスを取る

フィードバックは情報だ。情報が増えれば、学ぶ機会も増える。情報を測る科学的な尺度は、その中にどのようなメッセージが含まれるかを、どれだけ容易に予測できるかに基いている。自分の成功が保証されているとわかっているとき、フィードバック自体は何の情報も提供しない。いずれにせよ上手くいくことがわかっているからだ。その逆が良いフィードバックである。予測が難しければ、それを受信するたびにより多くの情報が得られることになる。

これが学習において持つ意味とは、学習における「難しさのバランス」の重要性である。多くの人々は直感的に失敗を避けるが、それは失敗がもたらすフィードバックが常に役立つとは限らないからだ。

しかし「成功しすぎる」という逆の問題の方が、より広範囲に見られる。ウルトラ・ラーナーは学習環境を慎重に調整し、成功するか失敗するかを予測できないようにしている。頻繁に失敗するようであれば、問題を単純化して、どうするのが正しいのかに気づけるようにする。逆にほとんど失敗しないようであれば、問題を難しくしたり、達成基準を上げたりして、さまざまなやり方のどれが正しいのかを区別できるようにする。基本的には、学習中に自分のパフォーマンスが常に良い（あるいは悪い）と感じるような状況は避けるべきだ。

戦術3 メタフィードバックを求める

一般的なフィードバックは、パフォーマンス評価である。たとえば小テストの成績は、教科書の内容をどれほど理解しているかを教えてくれる。しかしより有用な、別の種類のフィードバックがある。それが「メタフィードバック」だ。これはパフォーマンスに関するものではなく、学習に使用している戦略の全体的な成功の評価に関するフィードバックである。

メタフィードバックにもいくつか種類があるが、その中で重要なものの1つが、学習速度である。このフィードバックは学習の速度、もしくはスキルを構成する要素が改善される速度に関する情報を与えてくれる。

たとえばチェスのプレイヤーなら、イロレーティング〔チェスプレイヤーの強さを数値化した指標〕の伸びをチェックするだろう。ＬＳＡＴ〔Law School Admission Test の略で、法科大学院（ロースクール）に出願する際に受験しなければならない試験〕の受験生なら、模擬試験での成績の伸びを把握しているはずだ。言語学習者であれば、自分がどれくらいの語彙を覚えたか、あるいはライティングやスピーキングでどのくらいの間違いを犯しているかといった点を確認するかもしれない。

こうしたメタフィードバックを使うには、2つの方法がある。1つはそれを基に、いま使用している学習戦略に集中するか、それとも他の戦略を試す時期に入っているのかを判断するというものである。学習速度が徐々に低下している場合には、現在のアプローチが「収穫逓減」の時期に入っている可能性がある、つまり別の教材を使ったり、難しさのハードルを調節したり、学習環境を変えたりする方が良いかもしれないということを示している。

そしてメタフィードバックを活用するもう1つの方法は、異なる学習法を比較してどちらが効果的かを確認するというものだ。MITチャレンジの間、私はよく試験を受ける前に、問題をいくつかのトピックに分け、異なるアプローチを並行して試すということをしていた。試験問題を解くことにすぐ進んでしまった方が良いか？　それとも先に、自分が主な概念を理解しているかどうか確認する時間を取った方が良いか？　それを知る唯一の方法は、自分の学習の度合いをテストすることである。

戦術4　フィードバックを迅速かつ大量に求める

フィードバックを改善する最も簡単な方法は、単にそれをより多く、より頻繁に得ることである。これは特に、そのままではフィードバックがほとんどない、あるいはごく稀にしか得られない学習において有効だ。

スピーチ上達に向けたデ・モンテベロの戦略は、他のスピーカーたちよりもはるかに頻繁にステージに上がることに大きく依存していた。ルイスは学んでいる言語の環境に没入することで、普通の学習者であれば一言も話していないうちから、自分の発音に関するフィードバックを手に入れられる。

迅速なフィードバックを大量に得ることは、情報面で多くの利益をもたらすが、感情面でも同様だ。フィードバックを受けることへの恐怖が、学習者をそれから遠ざけてしまうことがよくある。素早いフィードバックを大量に受けることで、最初は不快に感じるかもしれないが、フィードバックを得るまで何ヶ月も何年も待つよりも、そうした嫌悪感を早く克服できる。

このような状況では、他の状況よりも積極的に学習することを迫られる。後で自分の取り組みの結果が評価されることを知っていると、ベストを尽くそうというモチベーションが湧く。この動機づけという点は、フィードバックによって情報がもたらされるという点を上回る利益を学習者にもたらすかもしれない。

感情的になってはいけない

ネガティブなフィードバックには「慣れ」が大切

フィードバックを受けるというのは、必ずしも簡単ではない。そのフィードバックを自分のスキルに対するものではなく、自分の人間性に対するものとして受け取ってしまうと、パンチがノックアウトになってしまうだろう。

フィードバック環境を慎重に制御して、学習に対する励みになるようにするというのは魅力的な話だが、現実にはそのような機会はめったにない。それよりも早目にパンチを食らい、それが自分をダウンさせる一撃にならないようにした方が良い。短期間でフィードバックを受けるのはストレスが溜まるが、それを受ける習慣ができれば、過剰に感情的な反応をすることなく処理するのが簡単になる。

ウルトラ・ラーナーはこれを利用して、自身を大量のフィードバックにさらし、ノイズを除去してシグナルを受け取ることを可能にしている。しかしフィードバックは、そこから得られる教訓を覚えていなければ何の意味もない。忘れるのは人間の本質であり、したがって学ぶだけでは十分ではない。学んだ内容を覚えておく必要がある。次章のウルトラ・ラーニングの原則「保持」では、忘れないための戦略について考える。

第10章

原則7 保持

穴の開いたバケツに水を入れない

記憶は思考の残りだ。
——ダニエル・ウィリングハム、
認知心理学者

ベルギーの小都市ルーヴァン＝ラ＝ヌーヴで世界スクラブル選手権が開かれ〔スクラブルはボード上にアルファベットを並べて単語を完成させるゲーム〕、ナイジェル・リチャーズが優勝した。ここまでは何ら驚きではない。リチャーズはこれまでに3回優勝しており、その腕前と謎めいた性格から、スクラブル界では伝説的な存在だからだ。

しかし今回は話が違った。リチャーズは英語版のスクラブルではなく、フランス語版の世界選手権で優勝したのである。これは簡単な話ではない。スクラブルのオリジナルは英語版だが、大部分の英語の辞書に載っている単語の数は、およそ20万語ほどである。しかしフランス語の場合、名詞と形容詞には男性形・女性形があり、また多様な活用があるため、有効な語形の数は約38万6000語にも達する。[注1]これだけでもリチャーズが達成したのは偉業と言えるが、注目すべきは、リチャーズがフランス語を話せないという点だ。

ニュージーランドのクライストチャーチで生まれ育ったリチャーズは、変わり者のエンジニアだ。長いあごひげをたくわえ、レトロなアビエーター・サングラスをかけた彼は、ガンダルフとナポレオン・ダイナマイトをかけ合わせたかのように見える。しかし彼のスクラブルに関するスキルは本物だ。彼の母親は、リチャーズが20代後半の頃にスクラブルを始めてみてはどうかと勧め、「ナイジェル、あなたは言葉が得意ではないからこのゲームも上手じゃないだろうけど、きっと夢中になるでしょう」と言った。[注2]このように先が思いやられるスタートだったにもかかわらず、リチャーズはスクラブル界を席巻した。彼は史上最高のプレイヤーかもしれない、と言う人さえいる。

スクラブルを知らない方のために説明すると、それはクロスワードパズルのようなゲームだ。各プレイヤーはアルファベットが書かれたタイルを7枚持っていて、それをボード上に並べて単語をつくる。難しいのは、その単語がすでにボード上に置かれているタイルと接していなければならないという点だ。優れたプレイヤーになるためには、日常的に使う単語を覚えるだけでなく、ほとんど使わないような単語も覚えて、その長さやそこに含まれるアルファベットを利用できるようになる必要がある。普通のプレイヤーであれば、「aa（アア溶岩）」や「oe（オエ、フェロー諸島に吹く暴風）」といったアルファベット2文字の単語を覚えようとするだろう。

しかしトーナメントのレベルでプレイするには、短い単語に加えて、アルファベット7文字や8文字の単語も暗記する必要がある。プレイヤーが一度に7枚のタイルを使い切ると、追加で50ポイントがボーナスとして与えられるからだ（これをスクラブルの用語で「ビンゴ」と呼ぶ）。

しかし必要なスキルは、記憶力だけではない。他の競技と同様に、スクラブルのトーナメントでは時間制限が設けられているため、熟練のプレイヤーは手持ちのタイルの中から有効な単語を組み立てられるようになるだけでなく、スペースを素早く見つけて、どの単語が最も得点が高いかを計算できなければならない。

リチャーズはこの名人であり、手持ちのタイルが「CDHLRN」の6枚と1枚の空白（どんなアルファベットとしても使える）だったとき、彼は「CHILDREN」という誰でも思いつく単語ではなく、ボード上のタイルと組み合わせて「CHLORODYNE」というより高得点の単語を完成させた。

リチャーズの謎めいた雰囲気も、彼の妙技を際立たせている。彼は物静かで、ほとんどの時間を1人で過ごしている。記者とのインタビューは一切拒否しており、富や名声にもまったく興味がないようで、彼がどうやってそれを獲得したか説明しようとしない。大会でリチャーズと対戦したことのあるボブ・フェルトは、彼の僧侶のように物静かな態度に言及し、彼に向かって「あなたの態度を見ていると、あなたが勝ったのか負けたのかわからない」と語っている。[注3]

リチャーズの答えは、「それは私が気にしていないからだ」だった。彼に国際的な注目が集まることとなったベルギーの大会への参加も、ヨーロッパでサイクリング旅行をすることの口実として行われたものだった。事実彼は、そこで勝利する前、準備に9週間しかかけていない。決勝戦でガボン出身のシェリック・イラグ・リカウェ（フランス語を話せるプレイヤーだった）を破った後、彼はスタンディングオベーションを受けたが、観客に感謝の言葉を告げるために通訳が必要だった。

ナイジェル・リチャーズの秘密

「隠された記憶術」をわずかな手がかりから探る

ナイジェル・リチャーズについて知れば知るほど、私はますます興味をそそられた。彼は信じられないほどの記憶力を持つと同時に、ミステリアスな存在だ。彼はインタビューを拒否し、自分の手法について簡単な説明しかしないことで有名である。

ルーヴァン＝ラ＝ヌーヴで勝利した後、ある記者が彼に向かい、単語を覚える特別な方法はないかと尋ねた。それに対して彼は、そっけなく「ない」と答えている。しかし彼が自分の戦略を公にしていないとしても、それを探る手がかりはあるかもしれない。

最初に私が発見したのは、ベルギーでのリチャーズの勝利は驚くべきものだったが、まったく前例のないことではないという点だ。競技で使われる言語が流ちょうに話せなくても、世界選手権で優勝したプレイヤーは他にも存在している。たとえばスクラブルはタイで人気があり、2人の元世界チャンピオンであるパヌポル・スジャヤコーンとパコン・ネミトルマンスクは、英語が堪能ではない。

その理由は単純で、母国語で単語を覚えることと、スクラブルで単語を覚えることは、記憶の方法が異なるのだ。話し言葉では、言葉の意味や発音、それが与える印象が重要になる。しかしスクラブルでは異なる。単語は単に、文字の組み合わせにすぎないのだ。リチャーズがフランス語を話さなくてもフランス語版スクラブルで勝利できたのは、英語版とゲーム内容に大差がないためだ。彼は異なるパターンの文字列を覚えるだけで良かったのである。

もちろんネイティブスピーカーはすでに多くの綴りを知っているので、彼らの方が有利だろう。しかし覚えるべき難解な単語は無数にあり、バラバラの文字を組み合わせて有効な単語をつくって、さらにそこから得られるポイントが最大になるように計算するスキルは、どんな言語でスクラブルをする場合でも一緒だ。

次に私が発見したのは、リチャーズが奇妙な力を持っている分野は、スクラブルだけではないという点だ。彼のもう1つの趣味がサイクリングである。実際に、ニュージーランドのダニーデンで行われたレースでは、彼は仕事を終えてから自転車に乗り、夜通しペダルを踏んでクライストチャーチからダニーデンまで200マイル以上を走破して、そのまま寝ずに朝からレースを開始した。

そして優勝後、彼は他の選手たちから家まで送ろうとの申し出を受けた。しかし彼は丁重に断り、月曜の朝に仕事を再開するために、また寝ずに自転車をこいでクライストチャーチへ帰ることを選んだ。[注4] 私には当初、このことは自宅で髪を切ったり、インタビューを受けなかったりといった、リチャーズの奇妙な癖の1つであるように感じられた。しかしいまは、それは彼の謎を解き明かすカギを握っているのではないかと考えている。

もちろんサイクリングは、記憶力とは何の関係もない。もしそうなら、自転車レースの有名選手であるランス・アームストロングはスクラブルの名プレイヤーになっていただろう。しかしリチャーズの性格には、私がこれまでに出会ったウルトラ・ラーナーたちと重なる部分がある。それは通常の努力と考えられる範囲を超えるほどの、強い強迫観念だ。

実はリチャーズのサイクリングは、彼について私が発見できた、他の唯一の手がかりに関係している。彼は長い単語リストをつくり、それを覚えるようにしている。2文字の単語で始まり、次第に文字数が増えていく単語のリストである。「サイクリングは役に立ちます」と彼は解説している。[注5]「頭の中でリストを思い返すのです」

彼は辞書を読み、文字の組み合わせだけに焦点を合わせて、定義や時制、複数形などは無視する。そして何時間もサイクリングしている間に、記憶を頼りに、頭の中で繰り返し思い出す。この点はまた、他のウルトラ・ラーナーやウルトラ・ラーニングの原則に共通して見られる手法、すなわちアクティブ・リコールと一致している。リチャーズは単語を頭の中で思い出すことによって、積極的に練習をし、すでに素晴らしい記憶力をさらに高め、他人には真似できないほどのものにしているのである。

リチャーズがなぜ優れたパフォーマンスを発揮できるのか、他にもヒントがある。彼はアナグラム（つまり文字を入れ替えて単語をつくる作業）ではなく、記憶の方に焦点を合わせている。単語を思い返すときは短い単語から始め、次第に長くしていき、終わったら今度は長い単語から短い単語へという順番で思い返す。また彼は、単語が話されているのを聞いて覚えることはできないので、単語を視覚的に覚えていると述べている。

これらのヒントはリチャーズの心をのぞかせてくれるが、明らかになるよりも、謎のまま残される情報の方が多いだろう。頭の中でリハーサルできるようになるまで、単語リストを何回読み返しているのだろうか？　単語は何らかの基準で整理されているのだろうか、それとも単にアルファベット順に並べられているのだろうか？　彼は特定の分野で並外れた才能を持つものの、その他の能力については一般よりも低いという、いわゆるサヴァン症候群の人物なのだろうか？　それとも万能の天才で、スクラブル用に単語を暗記することは、彼が持つ多くの才能の1つにすぎないのだろうか？

もしかすると彼の知性は平均的で、スクラブルで優れた成績が残せるのは、単に彼がそれに没頭しているからかもしれない。私たちはこうした疑問に対する答えを、決して手に入れられないかもしれない。

リチャーズの脳は私たちとは違う構造をしている、あるいは優れた記憶力を持っているという説を否定することはできない。私が知る限り、彼が使っている手法はそれほど独創的ではなく、真面目にスクラブルに取り組んでいる人なら気づきそうなものだからだ。ところがリチャーズは、ライバルたちを完全に圧倒している。私は心のどこかで、何時間も自転車に乗ってその間に単語のリストを思い返すという、彼の強迫的な性格が、少なくとも部分的な理由になっているのではないかと疑っている。

どんな天賦の才を与えられていようと、本書の中でこれまで解説してきたようなウルトラ・ラーナーの精神を、リチャーズも持っているようだ。リチャーズ自身は、前者よりも後者の方を重視している。

「それは大変な作業ですから、学ぶことに対する献身的な姿勢が必要です」と彼は言い[注6]、さらに「秘密があるかどうかはわかりませんが、とにかく言葉を覚えるだけです」とつけ加えている[注7]。

スクラブルはあなたの人生にとって重要ではないかもしれない。しかし記憶力はより良い学習に欠かせない。プログラマーはコマンドの構文を、会計士はルールや規則を、弁護士は判例や法令を、医師は解剖学的な知識から薬物の相互作用にいたるまで、何万という事実をそれぞれ覚えておく必要がある。記憶の上に理解や直感、実技といったより上位の概念があるとしても、それを欠かすことはできないのである。

何かがどのように機能するのか、あるいは特定のテクニックをどのように実行するかを理解できたとしても、それを思い出すことができなければ意味がない。どのくらい記憶できるかは、学んだことを頭の中に保持しておく戦略に依存している。しかし保持の戦略を論じる前に、なぜ覚えることがそれほど難しいのかを解説しよう。

なぜ、覚えるのは難しいのか？

私たちが忘れてしまう3つの理由

リチャーズは極端なケースだが、それでも何かを学びたい人にとって、重要なテーマが含まれている。どうすれば学習した情報のすべてを保持できるか？　苦労して学習した情報やスキルを忘れないようにするにはどうすればいいのか？　必要なときに思い返せるように、習得した知識をどのように保管するべきか？　学習を理解するには、まず「なぜ忘れるのか」「どのように忘れるのか」を理解しなければならない。

以前に学んだ知識へのアクセスが失われてしまうことは、教育者や学生、心理学者にとって永遠の問題だ。知識が頭から失われてしまうと、仕事にも影響を与える。ある研究によると、医師はフルタイムで働いていたとしても、医学部で学んだ知識が次第に忘れられていくため、働いている時間が長くなるほど提供する医療の質が悪くなってしまう。その研究論文の一部を引用しよう。

経験豊富な医師は、長年にわたって実践において知識やスキルを蓄積するため、質の高い医療を提供できると一般的に考えられている。しかし医師が医療業務に従事した年

数と、医師が提供するケアの質との間には、反比例の関係があることを示すエビデンスがある。[注8]

ヘルマン・エビングハウスは史上初となる心理学実験の1つにおいて、意味のない音節を記憶し（リチャーズがスクラブル用に単語を暗記したように）後で思い出すという能力を、何年もかけて注意深く追跡した。エビングハウスはこの研究によって、後により詳しい実験を通じて実証されることになる、「忘却曲線」を発見した。

この曲線は、私たちが何かを学んだ後で、それを驚くほど早く忘れてしまう傾向があることを示している。それは指数関数型の曲線を描いており、学んだ直後の落ち込みが最も激しい。しかしエビングハウスによれば、忘却のスピードは徐々に低下し、忘れ去られる知識の量は、時間の経過とともに減少していくという。私たちの心は、水漏れするバケツだ。しかしほとんどの穴はバケツの上の方についているため、下の方に残っている水の流出は遅くなるのである。

心理学者たちはこれまで、私たちの脳が最初に学んだことの大部分を忘れてしまう理由として、主に3つの理論を提唱している。それが「崩壊」「干渉」「手がかりの忘却」だ。

人間の長期記憶の根底にある正確なメカニズムについてはまだ結論が出ていないが、これら3つの理論は、なぜ私たちが物事を忘れがちなのかを説明する理由の一部となっており、逆に私たちが学んだことをより良く保持する方法についてのヒントを提供してくれる。

崩壊：時間とともに忘れる

忘却に関する最初の理論は、記憶は単に時間とともに衰えるというものだ。この考え方は常識とも一致している。私たちは、過去1週間に学んだ出来事やニュースを、先月の出来事よりもずっとはっきり覚えている。今年学んだことは、10年前の出来事よりもはるかに正確に思い出すことができる。この考え方では、忘却は単に、時間による避けられない侵食である。砂時計の砂のように、私たちの記憶は頭の中から容赦なく抜け落ちていくのだ。

しかしこの理論は、現実を完璧に説明するものではない。私たちの多くは、先週の火曜日の朝食に何を食べたか思い出せなくても、幼児期の出来事を鮮明に思い出すことができる。また物事が最初に学習されてから、それが時間をかけて記憶され、その後に忘れられるというパターンもあるようだ。鮮やかで意味のあるものは、平凡な情報や無意味な情報よりも簡単に思い出される。

仮に単なる崩壊という現象があるにしても、それが私たちの忘却を説明する唯一の要因であるとは考えにくい。

干渉：古い記憶が新しい記憶で上書きされる

干渉の理論は異なるイメージを示している。私たちの記憶は、コンピューターのファイルとは違い、脳の中で重なり合う形で保管されている。そのため似ているが異なる記憶同士が競い合う場合がある。

たとえばプログラミングを学んでいて、「for」というループ命令を習い、それを「何らかの処理を繰り返し行うためのもの」として記憶したとしよう。あなたは後で、「while」によるループや再帰、「repeat-until」ループ、「go-to」命令を学ぶかもしれない。

これらはいずれも何かを繰り返し行うことに関係しているが、それぞれやり方が異なるため、あなたがforループの動作を正確に記憶することを妨げてしまう。この状況には、少なくとも事前干渉と事後干渉という2つの種類がある。

事前干渉は、以前に学習した情報が新しい知識の獲得を困難にする状況である。これはちょうど、情報を格納したい「空間」がすでに占拠されているようなもので、そのために新しい記憶の形成が難しくなる。たとえばすでに知っている単語の新しい定義を覚えるのに苦労するのは、その単語が心の中で別のイメージと結びついているからだ。

いま心理学を勉強していて、「負の強化（negative reinforcement）」という概念を学んだとしよう。ここで言う「負の（negative）」という言葉は、「悪い」という意味ではなく、「欠けている」という意味だ。つまり負の強化とは、何か（たとえば痛みを伴う刺激など）を取り除くことによって行動を促すという意味である。

しかし「negativeは『悪い』という意味である」という定義がすでに頭の中に存在しているため、新しい意味を覚えるのが困難になり、負の強化と罰を混同してしまう場合がある。

事後干渉はこの逆の状況を引き起こす。何か新しい情報を学ぶことで、古い記憶が「消去」されたり、抑制されたりしてしまうのだ。スペイン語を学んだ後にフランス語を学んだことのある人なら、この事後干渉がいかにやっかいか実感しているだろう。再びスペイン語を話そうとするとフランス語の単語が口から出てしまうのである。

手がかりの忘却：鍵のなくなった施錠された箱

第3の忘却理論では、私たちの頭にある多くの記憶は、実際には忘れられるのではなく、単にアクセスできなくなるのだと考えられている。何かを覚えたという場合、それは記憶から取り出すことが可能だという意味になる。人間はすべての長期記憶を同時に、常に経験しているわけではない。つまり適切な手がかりを使って、情報を掘り出すプロセスが存在しているということになる。

そうだとすると、情報を引き出す際に鎖の一部が切れてしまって（崩壊もしくは干渉によって）、記憶にアクセスできなくなる可能性がある。しかし手がかりが復活したり、情報への別の経路が発見されたりすれば、多くのことが思い出せるようになるだろう。

この考え方には、いくつかの利点がある。直感的に、この理論はある程度まで本当のように感じられるだろう。「のどまで出ているのに」という経験、つまりある情報を覚えているという感覚がありながら、それがすぐに思い出せないということが誰にでもあるはずだ。

また何かを初めて学ぶよりも、再学習の方が進みが速いのは、最初の学習はまったく新しい建物を建てるようなもので、再学習はその修復作業に近いためと言えるだろう。手がかりを忘れるというのは、忘却の完全な説明ではないにしても、部分的な説明である可能性が高い。

しかし手がかりの忘却を、記憶力の問題に対する完全な説明と捉えてしまうことには問題もある。記憶の研究者の多くは、記憶という行為は受動的なプロセスではないと考えている。事実や出来事、知識を思い出すことで、私たちは記憶を再構築するという創造的なプロセスを行っているのだ。記憶そのものが、それを思い出す過程で修正されたり、拡張されたり、操作されたりすることが多い。

したがって、新しい手がかりによって「失われた」記憶が復活するというのは、実際には記憶をでっち上げているだけなのかもしれない。これは特に、トラウマ（心的外傷）から「回復した」という人物の証言に対して言うことができるだろう。さまざまな実験が示しているように、被験者が「これは完全に本物だ」と感じるような非常に鮮明な記憶でさえも、真実ではないことがあるからである。[注9]

どうすれば忘却を防げるか?

記憶の4つのメカニズム「間隔反復」「手続き化」「過剰学習」「記憶術」

人間の脳は忘れるようにできており、そこに例外はない。だからこそ私が出会ったウルトラ・ラーナーたちは、この事実に立ち向かうためにさまざまな戦略を編み出していた。そうした戦略は大きく2つに分けられ、似てはいるが異なる2つの問題に対応している。第1の問題は、ウルトラ・ラーニング・プロジェクトを進めるのと並行してどうやって学んだことを保持するかという点だ。最初の週に学んだ内容を、最後の週に再び学び直すなどということがないようにするには、どうすれば良いのだろうか?

これは特に、記憶力が要求されるウルトラ・ラーニング(ベニー・ルイスの語学学習やロジャー・クレイグの「ジョパディ!」へのチャレンジなど)において重要だ。そうした領域では、学習しなければならない情報の量があまりにも多いため、忘却がすぐに現実的な問題となる。

第2の問題はそれとは対照的で、学んだスキルや知識をプロジェクト終了後にどうやって長持ちさせるかというものだ。ある言語が満足できるレベルまで使えるようになった後で、2~3年後にもそれを忘れずにいるようにするにはどうすれば良いのだろうか?

私が会ったウルトラ・ラーナーたちは、この2つの問題に対処するために、独自の方法を生み出していた。それがどの程度厳しく、努力を要するものかはまちまちだ。クレイグのように、複雑になるという代償を払ってでも、アルゴリズムで記憶を最適化してくれる精巧なコンピューターシステムを使い、無駄や非効率性を省こうとする人がいる。一方でリチャーズのように、シンプルな手法の方を好む人もいる。

記憶方法は目標を達成するのに役立つだけでなく、それを続けることができるほどシンプルなものを選ばなければならない。私は集中して語学学習をしていた期間、間隔反復ソフトウェアを使うのが、大量の語彙を覚える際に役立つと実感した。また私はスピーキングの力を保持するために、実際に会話してみることを好んでいる(この方法はそれほど正確ではないのだが)。他の学習においては、継続して使用するスキルを練習し、再学習する能力を保持している限り、ある程度の忘却が起きても許容している。

私のアプローチは理論上の理想状態には達していないかもしれないが、エラーの可能性が少なく継続も容易なため、上手く機能する可能性がある。しかしどのような手段であれ、それは記憶の4つのメカニズム——間隔反復、手続き化、過剰学習、記憶術——のうちいずれかに対応することで機能する。これらのメカニズムを知っておけば、ウルトラ・ラーニング・プロジェクトに登場するさまざまな戦略を理解できるだろう。

記憶のメカニズム1　間隔反復――繰り返すことで覚える

学習に関するアドバイスで、研究からも強く支持されているものの1つが、「長く記憶しておきたければ、詰め込みはするな」である。学習時間を長い期間の中に分散して配置すると、パフォーマンスは若干低下する傾向があるが（間隔を空けているうちに忘れてしまう可能性があるため）、長期的にはパフォーマンスが大幅に上昇する。

これは私がＭＩＴチャレンジの間に注意した点だ。最初の数回の授業を行った後で、私は一度に1種類の授業を行うのではなく、複数の種類の授業を並行して行うことにした。それは詰め込み学習が記憶に与える影響を最小限に抑えるためだった。

何かを学ぶために10時間取れるとしたら、その10時間を一気に使うのではなく、10日間にわたって1日1時間学習する方が理にかなっている。しかし学習時間の間隔を空けすぎると、短期的な影響が長期的な影響を上回るようになる。間隔を10年空けてしまったら、最初のセッションで学んだことを、2回目のセッションで完璧に忘れてしまっても当然だ。

そうした間隔が長すぎず、短すぎもしないというバランスを見つけることにこだわるウルトラ・ラーナーもいる。勉強の間隔を詰めすぎると、学習効率が悪くなる。空けすぎると、学んだことを忘れてしまう。そのためウルトラ・ラーナーたちの中には、最小限の努力で最大限の知識を保持できるツールとして、「間隔反復システム（ＳＲＳ）」として知られる仕組みを使う者も多い。

ＳＲＳはロジャー・クレイグが「ジョパディ！」にチャレンジした際に、雑学を覚えるのにフル活用した仕組みであり、私も中国語と韓国語を学ぶ際に使った。ＳＲＳという用語を耳にしたことはないかもしれないが、この概念はピンズラー、メムライズ、デュオリンゴなど多くの語学教材に用いられている。

こうした教材は間隔反復のアルゴリズムを表に出さない傾向があるので、それを気にする必要はない。しかしウルトラ・ラーナーの中でもさらに学習効率を高めようと追求する人々は、オープンソースソフトウェアの「アンキ」のように、他のプログラムの方を好んでいる。

ＳＲＳは素晴らしいツールだが、極めて範囲の狭いアプリケーションになる傾向がある。事実や雑学、単語、あるいは何らかの定義を覚えるというシチュエーションは、知識を「問題に対する単純な答え」という形で提示する、フラッシュカードのソフトウェアに最適だ。より複雑な知識の場合、現実世界での実践を通じてでしか理解することのできない、複雑な情報の関連づけに依存するため、この手法を使うことは難しくなる。それでも一部の行為については記憶力が求められるため、ＳＲＳが欠点はあっても強力なツールとなり得る。

医学生の間で人気のある参考書を書いたある著者らは、彼らのアプローチの中心にSRSを置いている。[注10]医学生は非常に多くのことを記憶しなければならず、忘却と再学習というデフォルトの戦略は、時間の観点から非常に効率が悪いからだ。

ただし間隔反復を行うには、特別なソフトウェアは必ずしも必要ではない。リチャーズの事例が明確に示しているように、単にリストを用意して繰り返し読み、さらにはそれを目の前に置かず頭の中で繰り返すだけでも、極めて強力なテクニックとなる。同様に、半定期的な練習も役に立つことが多い。

私は1年間を語学学習に費やした後で、学んだことを忘れずにいたいと考えた。それに対して私の取ったアプローチは、極めてシンプルだった。オンラインサービスのアイトーキー（世界中のパートナーと言葉の練習ができるというものだ）を使い、スカイプを通じて、週に一度30分間の会話練習を行うようにしたのである。私はこれを1年間続け、その後さらに2年間、同じ練習を月1回のペースで行った。

これが理想的なペースかどうかはわからない。またこの期間に、自然発生的に練習の機会が得られることもあり、それも知識を保持するのに役立った。しかし学習した内容を何もせず忘れるに任せるより、ずっと良かったと考えている。知識の保持に関して言えば、完璧さを求めるあまり、必要十分なアプローチを排除してしまってはならないのである。

間隔反復を利用するもう1つの戦略は、半定期的に、再学習のためのプロジェクトを実施することである。これは日常的な行動に組み込むことが難しい、より高度なスキルを保持する場合に適している。私の場合、MITチャレンジで学んだコーディングのスキルを忘れないために、このアプローチを使った。プログラミングする時間を週に1回、30分間取るというわけにもいかないからだ。

このアプローチには、最適な間隔から大きく逸脱してしまう恐れがあるという欠点がある。しかしそれを補うために多少の再学習ができるなら、完全に練習を止めてしまうよりも良い方法となる。こうした「メンテナンス」を事前にスケジュールに組み込んでおくと、学習は一度行えば終わりというプロセスではなく、一生続くプロセスであることを思い出させてくれるので便利だ。

記憶のメカニズム2　手続き化——手続き的知識にすることで覚える

「体に染みついたスキルは忘れない」ということを、なぜ「like remembering trigonometry（三角法を覚えるような）」ではなく「like riding a bicycle（自転車に乗るような）」と表現するのだろうか？

実はこの慣用表現は、想像以上に神経学に関する事実に即している可能性がある。自転車に乗るといった「手続き的知識（何かを行うための知識）」は、ピタゴラスの定理や正弦定理のような「宣言的知識（「～ならば～である」のように、宣言的な文章によって表すことが可能な知識)」とは異なる形で脳内に保管されているという証拠があるのだ。

この2つの知識の違いは、長期記憶においても異なる意味を持つ。「自転車に乗るような」手続き的知識は、覚えておくためには意識的に思い出す必要のある知識に比べて、忘れられる可能性がはるかに低いのである。[注11]

この発見は、私たちの学習にも利用できる。学習に関する有力な理論によれば、ほとんどのスキルにおいて、その獲得は段階的に進む。宣言的なものから始まり、練習を重ねるにつれて、それが手続き的なものになるのだ。この「宣言的から手続き的へ」という移行の完璧な例が、タイピングである。キーボードでの入力を学び始めたとき、文字の位置を覚えなければならない。単語を打つたびに、あなたはその単語の文字を考え、キーボード上の配置を思い出し、指をその位置に移動して押す必要がある。このプロセスは失敗する可能性があり、キーがどこにあるか忘れてしまって、下を見て入力することになる場合もある。

しかし練習を重ねると、次第に下を見る必要がなくなってくる。最終的には、文字の位置や、そこに指を移動させることすら意識する必要がなくなるだろう。文字をまったく考えなくなり、一度に単語全体が出てくるようになるかもしれない。こうした手続き的知識は非常に堅牢で、宣言的知識よりもずっと長く保持される傾向がある。

これを確認するのは簡単だ。タイピングに自信のある人は、誰かに「キーボードのどこに『W』があるか言って」と言われたと想像してほしい。あなたは実際に手をキーボードに置いて（あるいはそうするふりをして）、「W」のキーを押してみないと、自信を持って答えることはできないだろう。それこそまさに、この段落をタイピング中の私に起きたことである。最初に知識にアクセスするためのポイントだったもの、つまりキーの配置に関する明示的な記憶が頭から失われてしまっているので、より持続性のある手続き的知識（それは体を動かす中で得られたものだ）を使って思い出す必要があった。あるパスワードや暗証番号をよく入力しているなら、同じような状況にあるかもしれない。つまりそれを数字や文字の明示的な組み合わせではなく、感覚として覚えているのである。

手続き的知識はより長く保持されるという事実から、有効な経験則が導き出される。大量の知識やスキルを均等に習得するのではなく、その中核にある情報をより頻繁に学習することで、情報が手続き的なものになり、より長く保持されるようになるのだ。

これは私が友人と行った言語学習プロジェクトの、予期せぬ副産物だった。常に新しい言語を話さなければならないということは、その言葉の中心にあるフレーズやパターンが頻繁に繰り返されることを意味し、決してそれを忘れることがなくなったのである。これはあまり使われない単語やフレーズには当てはまらないが、会話の出発点を忘れることはない。

言語学習の古典的アプローチでは、生徒は初心者向けの単語や文法からスタートし、より複雑なものへと「移動して」いくためこうした現象は起きず、中心的なフレーズやパターンが、何年も練習しなくても忘れないほどしっかり保持されなくなってしまう。

コアとなるスキルを完全に「手続き化」できなかったことは、私の最初の自己教育プロジェクトだったMITチャレンジの大きな失敗であり、その後の語学学習プロジェクトや似顔絵上達プロジェクトでは改善することができた。MITチャレンジでは、数学やプログラミングのコアスキルが何度も繰り返し登場していたのだが、最終的に手続き化されたのは行き当たりばったりの知識で、「コンピューター科学を実際の仕事で活用するための基本的スキル」として慎重に選んだものではなかった。

私たちが学んでいるスキルのほとんどは、完全には手続き化できていない。いくつかは何も意識しなくても、自動的に実行できるが、それ以外は積極的に心の中を探る必要がある。たとえば代数学では、変数を方程式の一方の側からもう一方の側に、考えることなく簡単に移動できるかもしれない。しかし指数や三角法が関係している場合は、もう少し深く考える必要がある。おそらくその性質上、一部のスキルは完全に自動化できず、常に意識的な思考を必要とするだろう。

これは知識の興味深い混合を生み出し、あるものは長期間にわたって非常に安定して保持され、他のものは忘れられやすい。この概念を適用するための1つの戦略は、練習を完了する前に、一定量の知識が完全に手続き化されるようにすることだ。もう1つのアプローチは、追加の労力を費やして、ある知識への手がかりやアクセスポイントとなるようなスキルを手続き化することである。

たとえば新しいプログラミング・プロジェクトに取りかかる際に使用するプロセスを完全に手続き化することで、新しいプログラムを開発する過程にある障害を乗り越えることができる。これらの戦略は賭けのような側面もあるが、私は「知識を宣言的から手続き的へと変える」というアプローチをウルトラ・ラーナーが活用できる潜在的な領域は、非常に多いのではないかと考えている。

記憶のメカニズム3　過剰学習――完璧を超えて練習する

過剰学習はすでに深く研究されている心理学的現象であり、非常に理解しやすいものである。[注12]十分なパフォーマンスができるようになるのに必要な量を超え、さらに練習を重ねると、記憶が保持される期間が長くなる可能性があるのだ。この現象に関する典型的な実験とは、次のようなものである。

まず被験者に、ライフル銃の組み立てや緊急用のチェックリストの実行といった作業をさせ、それが正しく行えるようになるのに十分な練習時間を与える。ゼロからこの地点までの時間が「学習」フェーズと見なされる。次に被験者に、異なる練習量で「過剰学習」、すなわち学習完了後に継続される練習を実施させる。被験者はすでにスキルを正しく実行できるようになっているため、この時点を過ぎてもパフォーマンスは向上しない。しかし過剰学習は、スキルの「耐久性」を高めることができる。

過剰学習が研究されている典型的な状況では、過剰学習効果の持続時間は非常に短い傾向がある。1回のセッションにおける学習時間を少し長くしても、延長できる記憶期間の長さは、1〜2週間程度だ。このことは、過剰学習が主に短期的な現象であることを意味している可能性がある。

それは応急処置や緊急時対応のような、ほとんど実行に移されることはないが、定期的な訓練の合間に記憶を新鮮な状態にしておく必要のある技術に役立つだろう。しかし私は、長いプロジェクトにおいて過剰学習を間隔反復や手続き化と組み合わせれば、それを長期的な観点でも活用できるのではないかと考えている。

たとえば私は似顔絵上達のプロジェクトを行っていたとき、顔を構成する要素を配置する際の思考プロセス（ウィトルウィアン・スタジオの教室で学んだものだ）を何度も繰り返したため、プロジェクトの期間は1ヶ月間だったにもかかわらず、それは頭の中に忘れず残っている。同様に、私はMITチャレンジのプログラミングや数学の一部について、練習を繰り返さなくても覚えている。たまたまその知識を適切に使えるようになるのに必要だった練習量よりも、はるかに多くの機会、それを繰り返し使っていたからである（より複雑な問題の一部であったため)。

過剰学習は直接性の原則と上手くかみ合っている。スキルを直接使用すると、その中核となる特定の能力を過剰学習することになる場合が多いため、その能力は通常、何年後になっても完全に忘れ去られることはない。これとは対照的に、何らかの知識を学問として学ぶ場合、それを構成する各領域を必要最低限のレベルで習得し、かつカリキュラム全体がカバーされるようにしようという意図から、各領域の実践が均等に行われる傾向がある(各領域が実践の際に中核になるかどうかにかかわらず)。私は自分が学んだのと同じ言語を、通常の学校教育において何年もかけて学んだ人々を大勢知っているが、彼らは私よりもずっと素晴らしい語彙や文法的知識を有しているのに、ごく基本的なフレーズでつまずいてしまうことがある。それは彼らが、一部の非常によく使われるパターンを過剰学習するのではなく、あらゆる知識やスキルを均等に学んでしまっているためだ。

過剰学習を適用するための戦略としては、主に2つが考えられる。第1の戦略はコア(中核)プラクティスで、学んでいるスキルの中核にある要素を継続的に実践し、洗練させるというものだ。このアプローチは、最初にウルトラ・ラーニング・プロジェクトを実施した後で、関連する作業に没頭したり、(集中的なプロジェクトではなく)広範囲なプロジェクトに取り組んだりすることと合わせて行う場合に、上手く機能することが多い。学習から実践への移行には、より深く、より繊細な形での学習が伴う可能性があり、それを「単に以前学んだ知識を適用するだけ」などと軽視するべきではない。

第2の戦略は、アドバンスト（上級）プラクティスで、ある一定のスキルセットよりも1つ上のレベルに進み、そのスキルセットの中核部分がより難しい状況に応用されることで、それが過剰学習されるようにするというものである。

代数学を学ぶ学生を対象としたある研究において、この戦略の有効性が示された。[注13] 代数の授業を受け、数年後に再試験を受けた学生のほとんどは、学んだことの多くを忘れていた。これは情報が本当に失われたか、単に手がかりを忘れたために、情報の大部分にアクセスできなくなっている可能性がある。興味深いことに、この忘却率は成績の良い学生でも悪い学生でも同じだった。成績の良い学生は悪い学生よりも多くの学習内容を保持していたが、彼らが忘れた率は同じであった。

しかしあるグループでは、記憶の急激な低下は見られなかった。それは微積分学を学んでいたグループである。このことは、より高度なスキルにレベルを上げることで、以前のスキルの過剰学習が起き、一部のスキルを忘れないようになった可能性を示唆している。

記憶のメカニズム4　記憶術——百聞は一見にしかず

私が出会ったウルトラ・ラーナーに共通する最後のツールが、記憶術である。記憶術には多くの戦略があり、それらすべてをカバーすることは本書の範囲外となるが、共通するのは特定の知識に焦点を絞ったものになる傾向があるという点だ。つまりそれぞれの記憶術が、一定のパターンの情報を記憶するように設計されているのである。

またそれらは通常、抽象的な情報または任意の情報を、鮮明な画像や空間マップに変換する。記憶術が上手く機能すると、信じられないほどの成果をあげることができる。円周率の暗記でギネス世界記録を保持していたラージビア・ミーナは、小数点以下7万桁まで覚えている。[注14]

暗記の世界大会に出場する記憶術のマスターたちは、1組のトランプの順番を60秒以内に記憶したり、1~2分間の勉強で詩を一字一句復唱したりできる。これらの偉業は非常に印象的であるだけでなく、さらに良いのは、十分な忍耐力さえあれば誰でもそれを真似できるという点だ。記憶術はどのように機能するのだろうか?

よく使われる記憶術の1つが、キーワード法である。一例を挙げると、外国語の単語を学んでいるときに、それを自分の母国語のよく似た音に変換するような場合である。いま私がフランス語を学んでいて、「chavirer〔フランス語で『転覆する』の意味〕」という単語を覚えるとしよう。私はまず、このフランス語を「shave an ear〔『耳を剃る』という意味になるが、音はchavirerに似る〕」という英単語に変換する。こうすることで、後で元の単語を思い出す際の手がかりとなる。

次にこの変換した英単語と、元のフランス語の単語の意味を結びつけ、頭の中で生き生きとした、かつ忘れられないほど奇想天外なイメージを描く。この場合なら、転覆する船の中で、巨大な耳がひげ剃りをしているイメージになるかもしれない。これで準備は完了だ。これで私はフランス語で「転覆」と言う必要があるとき、頭の中に「転覆する船の中でひげを剃る耳」のイメージが浮かび、そこから「chavirer」という単語を思い出せるだろう。

最初はこのプロセスが複雑に感じられるかもしれないが、覚えるのが難しい関係（単語の発音という任意の音とその意味）を、関係づけと記憶がはるかに容易なリンクに変換することで、大きなメリットが得られる。練習すれば、この種の変換には15～20秒しかかからず、外国語の単語を覚えるのに非常に役立つ。

いまは単語を覚える際のやり方を説明したが、他にもリストや数字、マップ、ある手順内のステップなどを覚える際の方法もある。興味のある方は、入門編としてジョシュア・フォアの著書『Moon walking with Einstein: The Art and Science of Remembering Everything』（『ごく平凡な記憶力の私が1年で全米記憶力チャンピオンになれた理由』、エクスナレッジ）をお薦めする。

記憶術は練習すれば誰でも使うことができる。ではなぜ最後に紹介したのか？

私は記憶術がＳＲＳと同じような強力なツールであると信じている。そしてツールである以上、それに馴染みのない人々でも活用でき、新たな可能性をもたらすと考えている。

しかし私は、その研究と実際の学習への応用に多くの時間を費やしてきた1人として、記憶術が利用できる範囲は思った以上に狭く、また実際の学習において面倒な作業をするほどのメリットはないと感じている。

記憶術には2つの欠点がある。第1に、素晴らしい効果を発揮する記憶術（円周率を何千桁も記憶可能にするような）にも、かなりの先行投資が必要になる。それが完了すれば数字を簡単に覚えられるようになるが、実際にはあまり便利な作業ではない。そして私たちの社会の大部分は、「人間は一般的に数字を覚えられない」という事実に対応しており、紙やコンピューターが使えるようになっているのが普通だ。

第2に、記憶術による想起は、直接何かを思い出せるほど自動的なものではない。外国語の単語を思い出す記憶術を知っている方が、単語を完全に忘れてしまうよりましだが、記憶術で覚えた単語から文章をつくるというのは時間がかかりすぎる。

このように記憶術は、覚えにくい情報の橋渡しをする役割を果たすことができるが、ずっと続く記憶をつくり出すための最終段階ではない。

記憶術は非常に強力だが、もろい部分のあるツールと言えるだろう。非常に情報量の大きな知識を特定の形式で記憶する必要のあるタスクを実行する場合、特にその知識が数週間、または数ヶ月にわたって使用される場合には、記憶術は自分では不可能だと思っていたことを可能にしてくれる。あるいは記憶術を、知識の情報量が非常に大きい場合に、その最初の習得をスムーズに行うための中間戦略として使うことができる。それは言語学習や専門用語の記憶に有効であり、またＳＲＳと組み合わせることで、「こんなの全部覚えるのは無理だ」という状態から、忘れることがないほど深く覚えている状態への橋渡しの役割を果たすことができる。

実際、紙やコンピューター、その他の記憶を外部化する手段以前の世界では、記憶術は何かを覚えておくための主要な手段だった。しかし現代では、「人間はコンピューターのようには記憶できない」という事実に対処する優れたメカニズムが開発され、記憶術は学習の基礎というより、クールな芸当として役立つ傾向がある。それでもこのテクニックの適用に熱心に取り組んでいるウルトラ・ラーナーもいるため、私の意見は最終的な結論ではないだろう。

忘却との戦いに勝利する

優れた努力と戦略があれば記憶力は上げられる

知識を保持することは、究極的に言えば、忘れっぽいという人間の性質と戦うことを意味する。

忘れるというプロセスはあらゆる人に発生し、完全に逃れる術はない。しかし間隔反復、手続き化、過剰学習、そして記憶術などの戦略は、短期的にも長期的にも忘却の割合を減らし、最終的には記憶に大きな違いをもたらす。

本章の冒頭で、ナイジェル・リチャーズの謎めいたスクラブルの能力について論じた。多くの単語を素早く思い出し、それらをごちゃまぜにされたタイルの中にどうやって見出すことができるのかは、きっと謎のままだろう。

私たちが彼について知っていることは、大きな記憶力が求められるテーマに挑戦してきた他のウルトラ・ラーナーの姿と一致する。積極的な回想、間隔を空けた練習、そして集中的な練習に対する献身的な姿勢といった具合だ。リチャーズがやっていることを自分でもやろうという意思が私たちにあるかはわからないが、努力と優れた戦略があれば、忘却との戦いに勝利することも可能になるだろう。

リチャーズが行ったスクラブルに関する練習は、意味を知らない単語を暗記するというメリットを彼に与えたかもしれないが、普段の生活においては、異なるタイプの記憶力の方が役に立つ傾向がある。それは知識と、ある物事に対する深い理解を統合する記憶力だ。次の章では、記憶から「直感」へと話を移そう。

第11章

原則8 直感

構築を始める前に深掘りする

ある記述が真実かどうか、それが何を意味するのかわかるまで尋ねてはいけない。
――エリオット・ビショップ、数学者

世界の人々にとって、彼はノーベル物理学賞を受賞した風変わりな教授だった。彼の伝記作家にとって、彼は天才だった。しかし彼を知る者にとって、リチャード・ファインマンは魔術師だった。彼の同僚だった数学者のマーク・カッツはかつて、世界には2種類の天才がいると述べた。一方は普通の天才である。「彼らがしたことを理解できれば、私たちもそれをすることができると確信できる」とカッツは言う。そしてもう一方が、魔術師だ。彼らの心は不思議な動き方をするので、「彼らが何をしたかを理解した後でさえ、彼らがそれをした過程は完全に闇の中だ」。カッツの見立てでは、ファインマンは「最高の才能を持つ魔術師」であった[注1]。

ファインマンは、他の人たちが何ヶ月も取り組んできた問題であっても、即座に解決策を見つけることができた。高校時代、彼は数学の大会に出場し、問題が口頭で説明されている間に正解を思いつくということが何度もあった。ライバルたちが計算を始めたばかりのときに、ファインマンはすでにその答えを丸で囲んでいたのである。そして大学時代には、パトナム数学コンペティション（優勝者にはハーバード大学へ入学するための奨学金が支給される）に出場した。この競技会は難問が出題されることで悪名高く、学んだ原則をそのまま適用するのではなく、巧妙な形で駆使することが求められる。

時間も重要な要素で、いくつかのセッションでは、参加者が獲得した点数の中央値はゼロだった（つまり普通の参加者では1つも正解できなかったということになる）。ところがファインマンは、試験時間が終わる前に会場を後にしていた。にもかかわらず、彼は1位を獲得し、しかも2位以下に大差をつけたことで友人たちを驚かせた。

後にマンハッタン計画に参加していた頃、当時最も有名だった物理学者の1人ニールス・ボーアは、彼と直接話をするようになり、何かアイデアを思いついたときには、他の物理学者よりも先にこの若い大学院生にそれを試してほしいと頼んだ。「彼は私を恐れない唯一の男だ」とボーアは説明した。「私の考えがおかしいとき、彼はおかしいと言うだろう[注2]」

ファインマンの魔法は物理学に限ったものではなかった。子どもの頃、彼は人々のラジオを修理して回った。大恐慌の時代だったので、大人の修理人に代金を払うのが難しかったのである。しかしそれだけでなく、修理を頼んだ人々は、ファインマンのやり方に驚嘆していた。あるとき彼は、修理を依頼されたラジオがなぜひどい音を立てるのか、じっと考え込んでしまった。それを見てラジオの持ち主は焦り、「何してるんだ？　ラジオを直しにきたのに、行ったりきたりしてるだけじゃないか！」と言った。彼の答えは「いま考えてるんだよ！」だった。後に有名になる彼の大胆さに驚いたその持ち主は、彼の返答を聞いて笑い出した。「彼は考えるだけでラジオが直せるんだ！」

マンハッタン計画で原子爆弾を開発していた頃、彼は自由時間を使って、上司の机やキャビネットの鍵を勝手に開けていた。核爆弾製造の秘密が保管されていたキャビネットを、冗談半分で破ったこともある。ある日彼は、自分のテクニックを軍関係者に披露した。しかし彼らは、セキュリティー上の欠陥を修正するのではなく、ファインマンを金庫から遠ざけるよう全員に警告するという結論を下した。その後彼は、ある錠職人と出会い、自分の名声が広く行き渡っていることを知った。その専門家から、「神様！　あのファインマンさんと会えるなんて――あなたは偉大な金庫破りだ！」と言われたのである。

また彼は、「人間計算機」という印象を周囲に与えていた。ブラジルへと向かう移動中、彼はそろばんのセールスマンと出会い、１７２９・０３の立方根を求めるといった難しい問題を計算して競い合った。その際ファインマンは、12・002……という正しい答えを導き出しただけでなく、そろばんのセールスマンが出した答えよりも、小数点以下の桁数を多く計算することができた。その桁数が5桁になったとき、セールスマンはまだ12という答えを出す計算の途中だったのだ。

この能力は他の数学者たちにも感銘を与えた。ファインマン自身の主張によれば、問題文が10秒以内に述べられる問題であれば、どんな内容でも1分以内に答えを出すことができた。数学者たちは彼に、「eの3・3乗」や「eの1・4乗」などの問題を投げかけたが、ファインマンはほぼ即座に正解を返すことができた。

ファインマンの秘密を解き明かす
数学と物理学に対する驚異的な直感の仕組み

ファインマンは間違いなく天才だった。彼の伝記を書いたジェイムズ・グリックを含む多くの人々が、この結論で満足している。結局のところ、手品はタネがわからないときに最も輝くものだ。そのためか、人々の話は彼がそれをどうやったかよりも、手品自体に焦点を当てている。

確かにファインマンは非常に頭が良かったが、すべてに魔法をかけられたわけではない。彼は数学と物理学が得意だったが、人文学の成績は最低だった。大学時代、歴史の成績はクラスの下から5分の1、文学の成績は下から6分の1のグループに入るほど低く、美術の成績は同級生の93パーセントより悪かった。一時は試験でカンニングをして合格したこともあった。大学時代に測定された彼の知能指数は125だったが、大卒の平均値は115であり、ファインマンはそれよりやや高いだけだった。後に論じられたように、彼の天才は知能指数では測れないものだったのかもしれない。あるいは単に、テストの方法が悪かったのかもしれない。しかし人知を超えた才能を持つことで知られる人々にとって、これらの事実は、ファインマンも人間であったことを思い出させてくれるものだ。

ファインマンの暗算力についてはどうだろうか？　これに関しては、そろばんのセールスマンや数学者の同僚たちよりはるかに速く計算できる方法について、ファインマン自身が語っている。

1729・03の立方根？　ファインマンの解説はこうだ。

「私はたまたま、1立方フィートが1728立方インチであることを知っていた。なので答えは12よりほんの少し大きいということになる。過剰分の1・03は、1728のおよそ2000分の1にすぎない。さらに私は微積分で学んで知っていたのだが、小さな分数の場合、立方根の過剰は、その過剰数の3分の1となる。なので私は1／1728を計算

して、その答えを4倍するだけでよかった」[注3]

では、定数eの1・4乗は？　これについては、ファインマンは次のように明かしている。「放射能（の半減期と平均寿命）から、私は底eに対する2の対数が0・69315であることを知っていた（したがって、eの0・7乗はほぼ2であることも知っていた）」

1・4乗するためには、彼はその数をそれ自体にかけるだけで良い。「単なる偶然さ」と彼は言う。しかし幸運だけが理由ではない。彼の能力の裏側にある秘密は、特定の計算結果に関する素晴らしい記憶と、数字に関する直感だった。それがあったことで、彼は魔法のような計算力を持つという印象を与えられたのである。

錠前破りはどうだろうか？　これもマジシャンが巧みにマジックを披露するようなものだった。彼はダイヤル錠がどのように動くのかを解明することに没頭していた。ある日彼は、鍵が開いているときにダイヤルをいじることで、最後の2つの数字がわかることに気づいた。彼はオフィスを出てからその数字を書き留めておき、後でこっそり戻ってきて、残りの数字をしらみつぶしに調べて特定した。そして金庫の中に、脅かすようなメモを残しておいたのである。

物理学に対する彼の魔法の直感でさえ、説明がなされていた。「私にはあるテクニックがあった。私が理解しようとしていることを誰かが説明しているとき、私はいまでもこのテクニックを使う。それは頭の中で、例をつくり上げるというものだ」[注4]

ファインマンは方程式を前にすると、それに単に従うのではなく、方程式が説明する状況をイメージするようにした。情報が追加された場合には、彼はそれを、頭の中にある例を使って検証してみた。そのため話をしている相手が何か間違いをすると、彼はそれを「見る」ことができた。

「他人から定理の条件を教わると、私はそのすべての条件に合うイメージを頭の中で描く。集合ならボールが1つ、素集合ならボールが2つといった具合だ。定理の条件が追加されれば、それに色がついたり、毛が生えたりと、いろいろな形に変化する。そして最後に定理が述べられたときに、それが私の頭にある毛の生えた緑色のボールに当てはまらないようであれば、私は『それは間違いだ！』と言うのである」

恐らくファインマンは、魔法など持っていなかった。しかし確実に、数字と物理学に対する驚異的な直感を持っていたはずだ。このことは、彼の心が私たちの心とは根本的に異なる方法で働いていたという考えに反するかもしれないが、彼の偉業を否定するものではない。ファインマンの巧妙な手品の裏側にある仕組みを知っていたとしても、私は彼のように楽々と計算したり、複雑な理論を彼の目で理解したりすることはできないのだ。

この説明は、マジックのタネが非常に簡単だったと明かされたときのような、「そうだったのか！」という満足感を与えてくれるものではない。したがって、そもそもファインマンのような人物がどのように素晴らしい直感を発展させるのかを理解するために、さらに深く掘り下げる必要がある。

魔術師の心の中
最初から「本質」にフォーカスして「核心」に直接切り込む

心理学者たちは、ファインマンのような優れた直感を持つ専門家の思考回路が、初心者とどのように異なっているのかを研究している。ある有名な研究では、物理学を専攻する博士課程の学生と学部生に対し、物理学の問題を与えてそれをカテゴリー別に分類するよう求めた。[注5] するとすぐに、明らかな違いが表れた。初心者は問題の表面的な特徴（問題に登場するのが滑車なのか、傾斜面なのかなど）に注目する傾向があったが、上級者はより本質的な要素に注目していたのである。

「ああ、これはエネルギー保存の法則に関する問題だな」のように、彼らは問題を見ただけで、そこにどのような物理法則が関わるのかわかるのだ。そうなると、問題を解ける可能性も高まる。問題が何を問いかけているのか、その中心にあるものを理解できるからである。

表面的なものは、問題を解くために必要な正しい手順に関係しているとは限らない。学部生は正しい方法を見つけるために多くの試行錯誤を必要としたが、博士課程の学生は最初から正しいアプローチで問題に取り組むことができた。

本質を最優先して問題に取り組む方がはるかに効果的なのであれば、なぜ学生たちはそうせず、表面的な事象に注目してしまうのだろうか？

簡単な答えは、「彼らにはできないから」だろう。ある問題の本質がどのようなものかを把握するメンタルモデルを構築するには、問題解決の経験を十分に積まなければならない。直感は魔法のように見えるかもしれないが、現実はもっと平凡なものだ。それは問題に対処するための、組織化された大量の経験の産物なのである。

チェスの名人と初心者を比較した別の研究において、その理由が説明されている。[注6]この研究では、チェス盤の上に駒を配置し、それをチェスの初心者と上級者に見せて、後から何もないチェス盤の上に駒の配置を再現するよう指示することで、彼らの記憶力がテストされた。

その結果、上級者は初心者よりもはるかに多くの内容を思い出すことができた。初心者は駒の配置を1つ1つ覚えなければならず、詳細まで完全に覚えられないことが多かった。それとは対照的に、上級者は駒の配置を、より大きなサイズの「塊」として覚えていた。それぞれの塊には、複数の駒による一定の配置パターンが含まれている。心理学者の理論によれば、チェスの名人が初心者と異なる点は、何手も先までの展開を計算できることではなく、実際の試合の経験が積み重ねられた、膨大なライブラリを頭の中に構築していることなのだという。

研究者らは、チェスのエキスパートと呼べるような状態に達するには、このような「塊」を長期記憶として約5万個保持することが必要だと推定している。[注7] 名人たちはそれを利用して、複雑なチェスの盤面を、いくつかの主要なパターンへと簡素化する。この能力がない初心者は、各マス単位で考えなければならず、したがって非常に時間がかかるのである。[注a]

しかし名人が持つこの能力は、本物のチェスのゲームで発生するパターンに限られる。駒がランダムに配置された盤面（普通にチェスをプレイしていては発生しないパターン）の場合、上級者に優位性は見られなくなる。記憶されたパターンのライブラリに頼れない場合には、上級者も初心者と同じように、マスを1つずつ覚えるしかなくなるのだ。

この研究は、ファインマンのように驚異的な直感を持つ人々の心が、どのように機能しているのかをのぞかせてくれる。**ファインマンも表面的な特徴にとらわれず、最初から本質に焦点を合わせて、その問題が何を表しているのかという核心に直接切り込む例を構築した。**

彼にこの能力をもたらした要因の1つは、物理学と数学に関する膨大なパターンが集められた、彼の頭の中にあるライブラリである。彼の暗算は、私たちにとっては非常に印象的なものに見えるが、ファインマンにとっては取るに足らないものだった。彼はたまたま、非常に多くの数学的パターンを知っていたにすぎないのだ。

ファインマンが物理学の問題に優れていた理由はチェスの名人と同じで、物理学での経験を通じて構築された、膨大なパターンのライブラリを頭の中に持っていたからである。しかし取り組む問題がこの前提の上に成り立っていないものであれば、彼もまた失敗するだろう。もしファインマンの数学者の友人たちが、数学上の直感に反するような定理で彼をテストしたら、彼を助けてくれていた直感は役に立たなかったはずだ。

ファインマンの魔法とは、長年にわたって数学と物理学のパターンを扱ってきたことから得られた、驚異的な直感だった。 彼の学習に対するアプローチを模倣することで、私たちもその魔法の一部を手にすることができるのだろうか？　ファインマンの学習と問題解決に対するアプローチについて考え、魔法使いの秘密を明らかにしてみよう。

どうやって鋭い直感を手に入れるか？

「質の高い直感」のための4つのルール

単に何かを研究するのに多くの時間を費やすだけでは、鋭い直感を得るのに十分ではない。ファインマン自身の経験がこれを証明している。特定の問題の解決策を暗記しても、教科書の外でそれをどのように応用するかを理解できない学生に、彼は何度も遭遇した。こんな逸話がある。彼はクラスメイトを騙して、雲形定規（曲線を描くための定規）が特殊な力を持つ道具だと信じ込ませた。その理由は「どのように持っても、底部が水平線に接している」からだった。しかしこれは、あらゆる滑らかな図形に当てはまることであり、彼のクラスメイトたちが理解すべきであった微積分学の初歩的な事実だった。ファインマンはこのことを、「脆弱な」学習の例だと考えた。学生たちが、学んだ内容を教科書の外の問題と関連づけるということをしていなかったからである。

何かを長い時間かけて学んだにもかかわらず、ファインマンを有名にした柔軟な直感を手に入れられないという過ちを避けるためには、どうすれば良いのだろうか？

そのための明確なレシピはなく、適切な量の経験と知恵が役立つというくらいしか言えない。しかしファインマン自身による自らの学習過程の説明は、彼のやり方が私たちとはどのように異なっていたか、有益なヒントを提供してくれている。

ルール1　難しい問題を簡単にあきらめない

ファインマンは問題解決に熱中していた。子どもの頃からラジオを修理していた彼は、問題が解決するまで一心にそれに取り組む。もしラジオの持ち主が我慢できず、「『もうあきらめよう、難しすぎたんだ』などと言い出していたら、私はカンカンに怒っていただろ

う。ここまできたからには、このいまいましい問題に勝ちたいと思っていたからだ」[注8]

彼のこの姿勢は、数学と物理学にも引き継がれた。ラグランジュ法のような簡単な方法を使わずに、手間のかかる計算を自力で行うことが多かったのだが、それは後者の方が問題をより良く理解できたからだ。ファインマンは他人の期待以上に問題を深掘りする名人であり、それが彼の多くの型破りなアイデアの源泉だったのかもしれない。

この姿勢を取り入れる1つの方法は、問題に取り組む際、自らに「格闘タイマー」をセットするというものだ。難しい問題の解決策が見つからず、あきらめたくなったら、タイマーを10分間にセットして、もう一度自分を奮い立たせて取り組んでみるのである。こうした「格闘タイム」を置くことの最初のメリットは、単にもう少し時間をかけてみることで、直面している問題を解決できる場合が非常に多いという点だ。

2つ目のメリットは、たとえ失敗したとしても、解決策を思いついたときに、どうやってそこにたどり着いたかを覚えていられる可能性が高まる。回想の章で解説したように、正しい情報を思い出すことが難しいと（そもそも情報が存在しないことによる場合でも）、後で情報をより良く思い出せるようになる。

ルール2　証明して理解する

ファインマンは、李政道と楊振寧（いずれも中国系の著名な物理学者で、1957年にノーベル物理学書を受賞）による研究を最初に目にしたとき、「李政道と楊振寧の言っていることがわからない。どれもこれも複雑なんだ」と語ったことを告白している。[注9]ファインマンの妹は彼をからかって、問題は彼がそれを理解できないことではなく、彼がそれを発明しなかったことだと言った。その後ファインマンは、論文を注意深く読むことにした。すると論文は、実際にはそれほど難しくなく、単に自分で検証してみるのを怖がっていただけだということがわかった。

この話は改めて彼の奇妙な性格を示すものだが、同時に彼の手法の重要な点を明らかにしてくれている。ファインマンは、他人が出した結果を追うことで何かをマスターしようとはしなかった。彼はその代わりに、同じ結果を頭の中で再現しようとするプロセスを踏むことで、物理学が得意になっていったのである。

このやり方は不利になる場合もある。すでに存在している知識を再発明することになるからだ。しかし自分自身で結果を再度追ってみることで理解しようという姿勢は、鋭い直感を身につける上でも役に立った。

このアプローチを取っているのは、ファインマンだけではない。アルベルト・アインシュタインは子どもの頃、数学や物理学の理論を証明することによって直感力を身につけた。アインシュタインが初期に達成した数学上の偉業の1つは、相似三角形を使ってピタゴラスの定理を証明しようとしたことだった。[注10]このアプローチが示しているのは、両者とも何かを「理解した」と判断する前に、それを非常に深いところまで掘り下げる傾向があるという点だ。

ファインマンが李政道と楊振寧を理解できないと言ったのは、本当に彼らの言うことがわからなかったという意味ではない。実際に、彼はその問題に関する研究の多くに精通していた。彼の頭の中では、「理解する」とは単に頷きながら論文を読むことではなく、そこで示されている結論を自分でも論証してみるという、より深い行為を意味していた。

自分が理解していないことを理解していると勘違いしてしまうのは、残念ながらよく経験する問題だ。研究者のレベッカ・ローソンは、これを「説明深度の錯覚」[注11]と呼んでいる。

ここで問題となるのは、私たちが自らの学習能力を評価する際に、それを直接的にではなく、さまざまなシグナルを通じて行うという点である。事実に関する情報を知っているかどうかを判断するのは簡単だ。たとえば「フランスの首都はどこか」という問題に対し、「パリ」という言葉が頭に浮かぶかどうかで判断できる。しかしある概念を理解しているかどうかとなると、はるかに難しくなる。聞かれた概念を多少は理解していても、特定の目的のためには十分ではない、ということが起きるからだ。

この現象を理解する、完璧な思考実験がある。紙に向かって、自転車がどのような形かを簡単にスケッチしてみてほしい。芸術作品を描く必要はない。サドル、ハンドル、タイヤ、ペダル、チェーンを正しい場所に配置できるだろうか？

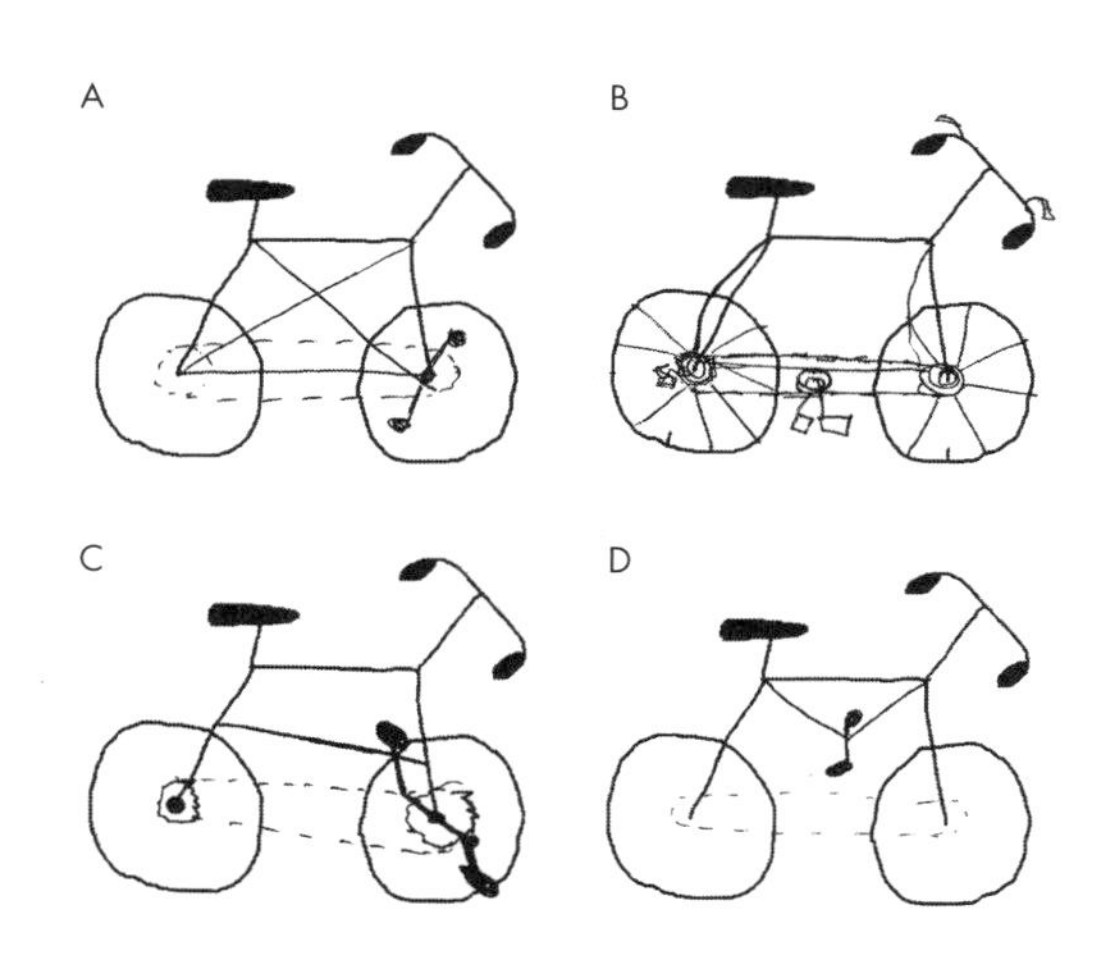

レベッカ・ローソンの研究で被験者たちが描いた自転車の絵

自転車を頭に思い浮かべるだけでなく、実際に描いてみよう。紙や筆記用具が手元にない場合には、それぞれのパーツがどこにつながっているかを口に出して言ってみてほしい。できただろうか？

まさにこれと同じことを被験者に求めたのが、レベッカ・ローソンの研究である。実際に被験者たちが描いた絵を載せておくが、それが示しているように、彼らのほとんどは自転車のパーツがどのように組み立てられているのかを理解していなかった。彼らもよく自転車を使っていて、自分たちがそのことをよく理解していると思っていたにもかかわらず、である。説明深度の錯覚は、より深い理解の妨げになることが多い。その誤解が解けない限り、想像しているよりも自分の理解が浅いことに気づかないからだ。ファインマンとアインシュタインの「理論を実証してみることで理解する」というアプローチは、これを防いでくれる。[注12]

絵の中でチェーンを正しく装着できたというラッキーな人は、今度は回転式の缶切りでも同じテストをしてみてほしい。それがどのように機能するのか説明できるだろうか？　歯車はいくつあるか？　それがどう動いて蓋を開けるのか？　これは自転車以上に難しいが、ほとんどの人々は、自分が缶切りを理解していると言うだろう！

ルール3　具体的な例から始める

人間は抽象的に物事を学ぶのが苦手だ。転移に関する研究が示しているように、ほとんどの人は多くの具体的な例に触れて、初めて抽象的で一般的なルールを学ぶ。一般的な原則を提示して、それを具体的な状況に適用できると期待することはできない。

この研究結果を知っていたかのように、ファインマンは具体例が与えられない場合でも、それを想像してみようとしていた。彼は頭の中ではっきりとした例をつくり上げることで、目の前の数式が何を証明しようとしているのかを理解することができた。

自分自身で具体的な例をつくるというこのプロセスでは、提示される材料をより深いレベルで処理することを強いられる。「処理水準効果」として知られる、記憶に関する研究成果は、頭の中に何が保持されるかを決定するのは、「ある情報に注意を払うことにどれだけの時間を費やしたか」ではなく、「ある情報に注意を払っているとき、それについてどう考えるか」の方が重要だということを明らかにしている。

この効果に関するある研究では、被験者に対して単語が並べられたリストを確認するよう求めた。[注13] ただし被験者の半数には、それがテストだと言い（つまり彼らには学習しなければという動機が与えられた）、残りの半数には単にリストの内容を確認するように言った。また各グループ内において、被験者はさらに2つに分けられ、別々の確認方法が指示された。一方の被験者には、単語に「e」という文字が含まれているかどうかを確認するように、そしてもう一方には、単語の綴りだけでなく、単語の意味まで把握して、それが楽しい意味かどうか判断するというより深い処理をするよう指示したのである。

その結果、動機づけは何の影響も与えないことが明らかになった。テストに向けて勉強するよう指示しても、被験者がどのくらい内容を覚えていられるかには関係なかったのだ。しかし確認方法の違いは、大きな差をもたらした。単語をより深く処理した人々は、単純に単語の綴りをチェックしただけの人々よりも、ほぼ2倍の内容を覚えていたのである。[注14]

問題に対して具体的な例を思い浮かべようとするファインマンの習慣は、この「深い処理」の一例と見なすことができるだろう。それは記憶の保持を高めるだけでなく、直感的な理解も促進する。またこの手法は、フィードバックを得ることも可能にする。適切な例を想像することができない場合、それは自分が何かを十分に理解しておらず、そのまま学習を進めるのではなく何ステップか前に戻って、教材をより良く理解する方が望ましいという証拠だからだ。豊かなフィードバックが得られるプロセスを使い、自分が何かを知っているかどうかテストすることが、ファインマンの学習スタイルの特徴である。

ルール4　自分を騙さない

「自分を騙すな」は、ファインマンの有名な格言であり、彼はそこに「そして自分は最も簡単に騙せる相手だ」とつけ加えている。ファインマンは自分自身の理解を強く疑っていた。彼は現代の心理学における「再現性の危機」を予言し、多くの社会学者たちが自分を騙して、実際には発見していないものを発見したと思い込んでいると攻撃した。この洞察をもたらした理由の1つは、彼は自分が知っていると思うことについて、非常に厳しい基準を設けていたからではないかと私は考えている。

ダニング＝クルーガー効果とは、あるテーマについて十分な知識を持っていない人が、そのテーマについて実際よりも多くの知識を持っていると勘違いしてしまうことを指す。この現象が起きてしまうのは、知識が不足していると、自分の能力を正しく評価することもできないからである。[注15] あるテーマについて学べば学ぶほど疑問が生まれてくる、というのは事実なのだ。逆もまた真なりで、疑問が少なければ少ないほど、そのテーマについてよく知らないということになる。

自分を騙してしまうという問題を避ける方法の1つは、単純に多くの質問をしてみることだ。ファインマンは次のように述べている。「私が何かを学び始めると、私の理解が遅いのではないか、あるいは問題をまったく理解していないのではないかと思う人がいる。私が『陰極はプラスですか？ マイナスですか？』や『陰イオンはこっち向きですか？それともこっちですか？』のような、『バカな』質問をたくさんするからだ[注b・16]」

私たちの多くは、「バカな」質問をする自信がない。ファインマンは自分が賢いことを知っていたので、そうした質問をするのに何の抵抗もなかった。皮肉なことに、答えが明らかなような質問をすることで、彼は自分が研究しているテーマの中にある、明らかではない要素にも気づくことができた。

逆の傾向、つまり知識があるように見せかけようとして無駄な質問をしないという態度には、多くのデメリットがある。ブラジルで講義をしていたとき、ファインマンの学生たちは、彼がすでに答えのわかっている簡単な質問ばかりするとたびたび不満を漏らした。なぜそんな質問をして、貴重な授業時間を無駄にするのか？ と言うのだ。後にファインマンは、彼らがそのような反応を示したのは、本当は答えを知らないのに、知らないのは自分だけではないかと疑い、それを授業中に皆の前で認めるのが嫌だったからだと気づいた。物事を明確に理解し、「バカな」質問をすることで、自分が知らないことを知っていると思い込んでしまうのを防ぐことができる。

ファインマン・テクニック

「説明深度の錯覚」を回避する

私はファインマンについての文章を初めて読んだとき、こうしたエピソードを定式化して、具体的な手法として自分の学習に役立てたくなった。その結果として生まれたのが、私が「ファインマン・テクニック」と呼ぶもので、私はこれをＭＩＴチャレンジにおいて幅広く応用した。

このテクニックを使う目的は、学習しているテーマに関する直感を身につけることだ。そのテーマをまったく理解していない場合や、少しは理解しているものの、その知識を直感へと変えたい場合に使うことができる。内容は非常に簡単だ。

1. 理解したい概念や問題を、紙の一番上に書く。
2. その下の余白を使って、その概念・問題を他の人に教えるかのように説明する。
   a. 説明するのが概念の場合、それを聞いたことのない人にどのように伝えるかを考えてみる。
   b. 問題の場合、それをどうやって解くかを説明し――ここが重要な点だが――なぜその解法が自分から見て筋が通っていると思うかを説明する。

3. 行き詰まったとき、つまり自分が明確な答えを書けるほど理解していなかった場合には、教科書やノート、教師、教材に戻って答えを見つける。

最も重要なのは、この手法は説明深度の錯覚を回避するためのものという点だ。私たちの「理解」の多くは明確に表現されることがないため、本当は理解していなくても、理解していると簡単に錯覚してしまう。ファインマン・テクニックでは、詳細まで理解したいと思っている概念をはっきりと説明しなければならないため、この落とし穴を避けることができる。

自転車の絵を描いてみるだけで、その基本的な構造がどうなっているかを自分が知っているかどうかわかるように、このテクニックを使えば、自分があるテーマについて本当はどこまで理解しているのかすぐに把握できる。苦労して説明してみることで、自分の理解のどこにギャップがあるのかが明らかになるだろう。

このテクニックにはいくつか異なるバージョンがあり、どのような問題に直面しているかに応じて、異なる形で応用できる。

応用1　まったく理解していないテーマの場合

まずは何かをまったく理解していない場合だ。この場合の一番簡単な方法は、教科書を手元に置き、その中における説明と自分の説明とを行ったりきたりすることである。これでは「回想」の練習ができないが、教科書の説明に当惑しているような段階では、必要不可欠な取り組みだ。ファインマン自身、哲学に関する難解な概念に直面したとき、同じようなことをしていた。

私は「自分には十分な力がないんじゃないだろうか」という不安を感じていたが、最後に自分に言い聞かせた。「いったんここでやめよう。それからゆっくり一文を読んで、それがいったい何を意味するのか理解するんだ[注17]」

私はその場で一呼吸置いて、次の文章を注意深く読んだ。それを正確に思い出すことはできないが、こんな感じだった。「社会共同体における個々のメンバーは、しばしば視覚的で象徴的な経路を通じて情報を受け取る」。私はこの文を何度も読み返し、別の言葉に翻訳してみた。何のことはない、それは「人はものを読む」という意味だった。

このファインマンの方法は、文章の微妙な意味を理解しようとするものというより、意図的にわかりにくく書かれた文章を説明することを目的としていたが、どのような学習においても活用することができる。

私はMITチャレンジでマシンビジョン（コンピューターに画像や動画を解析させ、その内容を把握させる技術）の授業を受けたとき、このテクニックを使った。私は写真測量法（ある物体の3次元の形状を、異なる照明条件で撮影された、一連の2次元画像から把握する手法）のことが理解できなかった。この手法には複雑な概念が絡んでいたので、どのように機能するかがわからなかったのである。私は教科書を手元に置き、メモを何ページか書いて、その概略を描くことで要点を把握しようとした。[注18]

応用2 解くのが不可能に思える問題の場合

2番目は、難しい問題を解決したり、何らかのテクニックをマスターしようとする場合への応用である。この場合は単に問題を要約するのではなく、自分が作成した説明に沿って、問題をステップごとに検証してみることが重要だ。

要約してしまうと、問題の中核にある難しい部分を回避することになるかもしれない。深掘りするのは時間がかかるが、そうすることでステップを覚えるために何度も繰り返す必要がなく、1回で新しい知識を深く根づかせることができる。

私はこのやり方を、コンピューターグラフィックスの授業で用いた。そこに登場した「グリッド・アクセラレーション」と呼ばれるテクニックに苦労したときである。これは描画している画面に「明らかに」表示されないオブジェクトの分析を行わないことで、レイトレースレンダリングのパフォーマンスを高速化する手法だ。上手く操れるようになるために、私はこの手法の問題点を調べ、実際に小さな雪だるまをレンダリングしてみてそれを確認するという練習を行った。[注19]

応用3 直感を伸ばす場合

最後は非常に重要で、それに対して優れた直感があれば大きく役立つような知識への応用だ。この場合、すべての詳細を説明したり、教科書を傍らに置いて参照したりする代わりに、対象となるテーマについて自分よりずっと知識の少ない相手であっても理解できるような、実例や喩え、視覚化を考えることに焦点を合わせるようにする。

そのテーマを教えようとするのではなく、それについて説明する雑誌記事を書くことで報酬を得ていると想像してみてほしい。抽象的な概念を理解してもらうために、どのような視覚的表現を使うだろうか？　どのような例を使えば、一般的な原則を具体化できるだろうか？　複雑に見えるものを、どうすれば明白にできるだろうか？

私はこの方法を、MITチャレンジにおいて電磁気学を学んでいたときに、電圧の概念を理解するために応用した。問題の中で電圧の概念を扱うことには苦労していなかったが、それが何であるかについて、正しい直感を持っているようには思えなかったのである。それがエネルギーや、電子や、モノの流れでないことは明白だ。しかし抽象的な概念を心の中でイメージにするのは難しかった。

そこで私は、前述のテクニックを使い、重力の方程式と比較してみることにした。そうすることで、電力における電圧とは、重力における高さと同じようなものであることが理解できた。これで視覚的なイメージが得られた。電線は、高さの違う樋（とい）のようなものだ。バッテリーは、水を上昇させるポンプのようなものである。そして抵抗は、水が流れ落ちるのを妨げる、さまざまな太さのホースだ。この樋とホースのイメージは、方程式を解くのには必要なかった。しかし私の心に残り、電圧が単に抽象的な概念であった場合よりも、問題の解法を思いつくのが楽になったのである。

直感の謎を解く

ファインマンの最も偉大な才能とは「執拗な練習」と「遊び」を結びつける能力

リチャード・ファインマンのような天才を目にすると、多くの人々は、彼が苦もなく行っているかのように見える直感的なひらめきの方に目を奪われてしまう。彼の遊び心と反抗的な姿勢は、「学習には努力が必要だ」という固定観念を否定するように見えるかもしれない。しかし水面下に目を向ければ、私が研究した他のウルトラ・ラーナーたちと多くの共通点があることは明らかだ。彼は物事を理解するために一生懸命に努力し、さらに直感を働かせる方法を習得するために、信じられないほどの時間を費やしたのである。

大学に入って間もない頃、彼は友人と量子力学の入門書を何度も読み、クラスメイトたちとどちらが先に内容を理解できるか競い合った。そのとき彼は、知的活動に多くの時間を割くために、綿密なスケジュールまで立てた。

趣味に対してですら、彼は非常にアグレッシブな方法を取った。たとえば錠前破りを学んでいたときには、彼は可能な組み合わせをすべて試してみるというトレーニングを行い、それを繰り返した。「私は完璧なリズムを身につけ、30分足らずで４００通りの組み合わせを試せるようになった。つまり最大で8時間、平均して4時間で金庫を開けられるようになったのである[注20]」

天才、特にファインマンのように破天荒な人物の話を聞くと、努力ではなく才能の方が注目される傾向がある。ファインマンが天賦の才を持っていたことは間違いないだろう。しかしおそらく彼の最も偉大な才能とは、執拗な練習と遊びを結びつける能力だった。

彼はパズルを解くことに情熱を燃やしていて、それは量子電磁力学の秘密を解き明かそうとしているときも、錠前破りをしているときも一緒だった。この遊び心に満ちた探求の精神こそが、ウルトラ・ラーニングの最後の原則である「実験」だ。

第12章

原則9 **実験**

安全地帯の外に出て探求する

結果だって？　結果ならもうたくさん出ている！　上手くいかない方法を数千通り知っているんだ。

――トーマス・エジソン

もしフィンセント・ファン・ゴッホの作品を見ることなく、その生涯に関する物語を読んだとしたら、彼が史上最も有名な画家の1人になるとは思わないだろう。彼が絵を描き始めたのは遅く、26歳になってからである。

芸術は早熟が当たり前の世界であり、有名な巨匠はその才能を早くから見せつけることが多い。たとえばパブロ・ピカソのキュビスムは、彼が子どもの頃から絵を写実的に描けたことから生まれたもので、彼は大胆にも「ラファエロのように描くのに4年かかったが、子どものように描くのには一生かかった」と述べている。レオナルド・ダ・ヴィンチは10

代で画家として弟子入りした。彼が若い頃に、ある農家が持っていた盾に怪物の姿を描いたところ、それがミラノ公に買い上げられたという逸話も残っている。サルバドール・ダリは14歳の誕生日前に作品が展示され、彼を有名にすることになる才能を披露していた。

それに比べればゴッホは遅咲きで、才能がはっきりと認められていたわけではなかった。彼が筆を取ったのは、美術商としても、牧師としても成功できなかった後だったのである。美術商で家族ぐるみの友人であったH・G・テルステーフは、ゴッホが画家を目指しているのは自分の怠惰を隠すためだと考えていた。「始めたのが遅すぎる」と彼は言い放った。「1つ確かなのは、君は芸術家ではない……。君の絵は、君が始めた他のすべてのものと同じように、無駄になるだろう」[注1]

スタートが遅かったということ以上に問題だったのは、ゴッホは絵を描くのが下手だったという点だ。彼の絵は粗雑で、子どもっぽかったのである。肖像画のモデルとして座っていてくれる人がようやく見つかっても（オランダ人の気難しい性格から考えると、これは容易なことではなかった）、絵をモデルに似せるために何度も描き直さなければならなかった。

パリのアトリエに滞在し、アンリ・ド・トゥールーズ＝ロートレックのような後期印象派を代表する画家たちの隣で絵を勉強することもあったが、ロートレックはさっと筆を走らせるだけで目の前の光景を絵に描けたのに対して、ゴッホは苦労を重ねなければならなかった。彼の仲間の1人は、「私たちは彼の絵をあまりに未熟だと感じていた」と振り返っている。[注2]「彼の絵には何ら特別なところはなかったのだ」。結局ゴッホは仲間たちとも上手くやっていけず、才能もなくマナーも悪かったため、3ヶ月足らずでアトリエを去ることとなった。

ゴッホの出遅れと明らかな才能の欠如は、彼の気性の激しさによってさらに悪化した。彼に関わったほぼすべての人々が、最終的に彼を拒絶している。彼の双極性障害による躁状態と、兄弟のような関係を求める態度によって、ゴッホは出会う人々と激しく争うこととなった。晩年には定期的に精神科にかかるようになり、「全般性せん妄を伴う急性躁病」から「一種のてんかん」までさまざまな病気であると診断された。

ゴッホの感情の爆発（彼はそれを「発作」と呼んだ）は、彼を仲間や指導者、教師になり得た人々から遠ざけてしまった。その結果、ゴッホは公的な教育機関に通った経験もあったが、ほとんどの学習は独学だった。伝統的な教育を受けられたのは、彼が人々を追いやってしまうまでの短い期間だけだったのである。

遅いスタートだった芸術家としてのキャリアを終わらせたのは、ゴッホのミステリアスで早すぎる死だった。37歳のとき、彼は胃に当たった銃弾が原因で死亡した。彼の死は自殺ではないかとされているが、彼の伝記作家であるスティーヴン・ネイフとグレゴリー・ホワイト・スミスは、事故または犯罪の可能性の方が高いと考えている。ひょっとしたら、村の若者の1人に撃たれたのかもしれない。彼はゴッホをからかい、彼のことを「頭がおかしな赤毛」と呼んでいたのである。

こうした問題があったにもかかわらず、ゴッホは史上最も有名な画家の1人となった。『星月夜』や『アイリス』、『ひまわり』といった傑作を生み出したのだ。8200万ドル以上の値がついた『医師ガシェの肖像』など、ゴッホの作品は4回にわたって、史上最も高値で落札された絵画となった。[注3] その特徴的な色の渦巻き、絵の具の厚塗り、そして強烈な輪郭は、多くの人々にゴッホの絵を史上最高だと感じさせた。

この矛盾はどう説明できるのだろうか？　明らかな才能もなく逆にハンディキャップばかりでスタートも遅かった人物が、どのようにして個性的なスタイルを持つ、誰もが知る世界で最も偉大なアーティストの1人になれたのだろうか？　ゴッホを理解するために、ウルトラ・ラーニングの9番目の、そして最後の原則である「実験」に目を向けてみよう。

ゴッホはどのように絵画を学んだのか？

「天才ではなかったゴッホ」の才能の磨き方

少しの間、ゴッホの立場に立ってみてほしい。家族から支援を得られたにもかかわらず、美術商としては惨めなほど失敗した。牧師としても失敗している。そしていま、画家を志しているものの、絵を上手く描くことができない。あなたならどうするだろうか？

この挑戦に対するゴッホの答えは、彼の生涯を通じて繰り返し見られるパターンと一緒だった。まず彼は、学習する際のリソースや方法、スタイルを見出し、それを信じられないほどの熱意をもって追求して、その過程で数百とは言わないまでも数十の作品を生み出した。この爆発的な行動の後、彼はまだ残っていた欠点を把握して、新しい学習リソースと方法、スタイルを使って練習を繰り返した。

ゴッホがそれを意識していたかどうかはわからないが、このパターンと成功した科学者の行動の間には類似点がある。仮説、実験、結果、繰り返しだ。偶然かもしれないが、ゴッホの絵画への積極的で実験的なアプローチは、彼のスキルを磨いただけでなく、彼を忘れられないほどユニークな画家へと成長させた。

ゴッホの実験は、彼が最初に芸術家になろうとしていたときに始まった。当時、芸術家への道として一般的だったのは、美術学校に通うかアトリエで見習いをすることだった。しかしゴッホは他人から才能があるとは見られず、またその気性から、そうした一般的な道に進むチャンスは得られなかった。そこで彼は独学へと切り替え、絵画の基礎が学べるという家庭用の教材に目を向けた。特に彼は、シャルル・バルグの『木炭の練習』と『デッサン教本』、アルマン・カサーニュの『デッサンのＡＢＣ』を集中的に活用した。

これらの分厚い本には、段階的な練習問題が含まれており、向上心のある画家たちが絵を描く技術を磨くために取り組むことができた。彼の伝記によれば、ゴッホは「これらの厚い本をむさぼるように読んだ……1ページ1ページ、何度も何度も繰り返して」[注4]。ゴッホ自身、弟のテオに「60枚全部終わらせた」と報告し、「私はこの2週間というもの、早朝から夜まで練習した」とつけ加えている。

さらにゴッホは、早くから模倣を戦略として用いていたが、それも芸術家としてのキャリアを始めるのが遅かったからである。ジャン＝フランソワ・ミレーの『種まく人』は、彼のお気に入りの絵の1つで、彼は何度も何度もそれを模写した。彼はまた、特に肖像画のモデルとして、早い段階から自分自身を描いている。彼は見たものを正確に描けなかったため、肖像画を描くのに非常に苦労した。

ゴッホは他の芸術家や友人、そしてメンターから学んだ。アントン・ファン・ラッパルトは、ゴッホに葦(あし)ペンとインクを試してみるように言い、1回の筆の運びが短くて速いという、熟練の画家のスタイルを取り入れるよう説得した。別の画家アントン・モーヴは、チャコールやチョーク、水彩、クレヨンなど、さまざまな画材を試してみるよう彼にアドバイスした。多くの場合、そうした試みは上手くいかなかった。ポール・ゴーギャンは、ゴッホが後に耳を切り落とすことになる家で一緒に暮らしている間に、彼に記憶から絵を描き、色合いを落ち着かせ、新しい画材を使っていままでと異なる効果を出すよう促した。

そうした試みは、ゴッホには上手くいかなかった。何も参考にせず描くと、彼のデッサン力のなさはさらに悪化し、新しい種類の画材は後に彼を有名にするスタイルに反していた。しかし実験から価値を得るには、必ずしもそれを成功させる必要はない。いずれにせよゴッホは、新しいテクニックを試す機会を数多く得たのである。

ゴッホは画材や技法だけでなく、彼の芸術の根幹となる哲学まで実験した。彼の絵は強くて鮮やかな色彩で有名だが、彼はそれを最初から意図していたわけではなかった。もともと彼は、初期の作品『馬鈴薯を食べる人たち』に見られるような、控えめで灰色がかったトーンの奥深さに心を奪われていた。「ほぼすべての色は、灰色ではない。しかし自然の中では、人は実際にはそうした明暗や陰影しか見ないのだ」と彼は述べている。[注5]

彼はこの考え方に傾倒し、それに基いて作品を描き上げた。しかし彼は後に、まったく逆の立場をとった。明るい補色を使い、自然をそのまま写すというより、その場面に色を押しつけるような形で絵を描くようになったのである。同世代の芸術活動に対する姿勢もころころ変わった。当初彼は、新しい印象派のスタイルよりも伝統的な絵画を好んでいたが、後に前衛的なスタイルに移り、迫真性よりも大胆な構図を選んだ。

ゴッホの芸術における実験には、2つの重要な側面がある。1つは彼が試してみた手法や発想、資源の幅広さだ。彼は絵画のさまざまな要素で苦労していたために、最終的に自分に合ったスタイル、つまり自分の長所を伸ばして短所を隠してくれるようなスタイルを見つける上では、バリエーションが重要だったのだろう。優れた才能を持つ人なら、最初に出合ったスタイルを理解し、それに従って作業を終わらせることができるかもしれないが、そうでない人々は、自分に合った手法が確立されるまで、多くの実験を必要とする。

そしてもう1つ重要なのが、彼の取り組みの激しさだ。私がこれまでに会ったウルトラ・ラーナーたちと同様、ゴッホも芸術家になるための努力を惜しまなかった。多くの否定的な評価に直面し、やめた方がいいと言われても、彼は容赦なく芸術を追求し、ときには毎日新しい絵画を制作した。バリエーションとアグレッシブな姿勢という2つの要素によって、彼は初期に直面した障害を乗り越え、非常に象徴的で素晴らしい作品を生み出すことができたのである。

熟練するにつれて「実験の重要度」が増す理由

習熟するほど「教えられる人」がいなくなる

新しいスキルを学び始めるときは、自分より進んでいる人の例に従うだけで十分な場合が多い。そしてウルトラ・ラーニングの原則を考える際には、メタ学習が最初に検討される。あるテーマがどのような要素に分解されるかを把握し、他の人がそれを以前にどのように学んだかを知ることで、有利なスタートを切ることができる。しかしスキルが向上するにつれ、他の人の例に従うだけでは不十分になることがよくある。そうなった場合、実験を通じて自分の道を見つけるしかない。

その理由の1つは、誰もが最初は同じ場所からスタートするため、学習の最初の段階はすでに大勢の人々が通って踏みならされており、十分なサポートも行われているためだ。しかしスキルが向上するにつれ、教える側に立てる人が少なくなり、仲間となる生徒の数も少なくなる（したがって参考書や学校、インストラクターの市場も縮小する）だけでなく、自分自身がこれまで学んできた人々と袂を分かつようになる。初心者が2人いたとすると、彼らが持つ知識やスキルは極めて似通っているだろう。しかし専門家が2人いれば、彼らがすでに習得しているスキルセットはまったく違うため、スキルを向上させることは次第に個人化され個々に異なる取り組みとなるのである。

熟練するにつれて実験の価値が高まる第2の理由は、基本をマスターした後に能力の向上が停滞する場合が多いことである。スキルを習得する初期の段階では、学習は蓄積する行為だ。新しい事実や知識、スキルを身につけ、これまで解決方法を知らなかった問題を処理するのである。**しかし上達すると、学習した内容を捨てる必要が出てくる。以前は解けなかった問題を解く方法を学ぶだけでなく、古くて効果のないアプローチは忘れてしまわなければならないのだ。**

プログラミングの初心者と上級者の違いは、特定の問題を解けるかどうかではない。上級者は問題を解く最善の方法を知っているのだ。それは最も効率的で無駄がなく、後で頭痛を引き起こすこともない。上達に伴い、知識を蓄積するよりも忘れることが学習になると、実験は学習と同義語になり、安全地帯の外に出て新しいことを試すようになる。

習熟するにつれ実験の重要度が増す最後の理由は、多くの技能において、熟練だけでなく独創性からも見返りが得られるからである。偉大な数学者とは、他人が解けない問題を解くことのできる人であり、以前に解かれた問題を簡単に解くことのできる人ではない。成功するビジネスリーダーとは、単に以前のビジネスリーダーのスタイルや戦略を真似できる人ではなく、他のビジネスリーダーが見出せなかった機会を見つけられる人のことだ。

芸術の世界でゴッホを最も有名な画家の1人にしたのは、彼の技能だけでなく、独創性だった。創造性に価値が置かれるようになると、実験が不可欠になるのである。

実験の3つのタイプ

学習リソースと方向性とスタイル

実験にはいくつかのレベルがある。ゴッホが芸術家の道を進む際に使えたように、皆さん自身の学習においても、それらをモデルとして使うことができるだろう。

1 学習リソースに関する実験

最初に、学習法や学習に使用する教材などに関する実験である。ゴッホは芸術家としてのキャリアをスタートさせたとき、さまざまな画材や教材、学習法を試してみた。独学用の教材を使う、仲間の画家を参考にする、屋外やアトリエで写生するといった具合である。この種の実験は、自分にとって最適なガイドやリソースを見つけるのに役立つ。

しかし重要なのは、実験しようという意欲と、成果を生み出そうという意欲が一致することだ。ゴッホは独学で絵画を学び始めたとき、多くの異なるアプローチを試してみたが、同時に彼はそうしたアプローチを使って大量の作品も生み出したのである。

適切な戦略とは、リソース（教科書や授業、学習方法など）を選び、それをあらかじめ決められた時間に厳密に適用することだ。この新しい方法に積極的に取り組んだら、次に一歩下がり、その方法が上手く機能しているかどうか、またその方法を続けることに意味があるか、別の方法を試してみるべきかを評価するのである。

2 方向性に関する実験

実験は最初のうち、さまざまな教材に焦点を合わせる傾向がある。しかしほとんどの学習では、次に何を学ぶかの選択肢がどんどん広がっていくため、問題は「これをどうやって学べば良いのか？」ではなく「次は何を学べば良いのか？」になる。

言語学習がその好例だ。初級のうちは、誰もが同じ基本的な語彙を学ぶ。しかし上達するにつれ、次に学べることはどんどん広がっていく。文学を学ぶべきか？　専門的な話題に精通するか？　漫画を読むか？　ビジネス会話を学ぶか？　それぞれの分野に特化した語彙や語句、文化的知識が存在するため、何を習得するかを選ぶ必要がある。

繰り返しになるが、ここでも実験が重要な役割を果たす。上達しようと考えているスキルの中からサブトピックを選択し、時間をかけてそれを積極的に学習してみて、進捗状況を評価する。その方向を維持するか、それとも別の方向に変えるか？　そこには「正解」はないが、習得しようとしているスキルに役立つ答えは得られるだろう。

3　スタイルに関する実験

学習がある程度進むと、問題が「どの学習リソースを使うか」や「どの方向に進むか」から、「どのようなスタイルを確立するか」へと移行することがよくある。物事を行う「正しい方法」が1つだけしかないスキルもあるが、これはほとんどの場合当てはまらない。執筆、デザイン、リーダーシップ、音楽、絵画、研究はすべて、トレードオフ関係にある異なるスタイルの確立が求められる。

基本をマスターしたら、あらゆることを行う上での唯一の「正解」などというものはなくなり、さまざまな選択肢が生まれ、それぞれに長所と短所がある。

ここも実験の出番だ。ゴッホはミレーのような伝統的な画家の手法から、日本の木版画、ゴーギャンやラッパルトといった仲間たちの手法にいたるまで、絵画におけるさまざまなスタイルを試した。そこには唯一の正答などというものはないが、ゴッホと同じように、自分の長所と短所に合ったスタイルを見つけられるかもしれない。

さまざまなスタイルを試してみるには、すでに存在するスタイルを幅広く確認することが重要だ。他の芸術家の作品を研究し、議論することに多くの時間を費やしたゴッホの姿勢は、ここでもお手本になるだろう。おかげでゴッホは、自分の作品に応用できる、スタイルやアイデアの膨大なライブラリを手に入れた。同様に、自分の学習において指導的な立場にあるものを特定して、そのスタイルを成功に導いている要因を分析し、それを自分のアプローチにどう組み込むかを考えられるだろう。

実験の各レベルにおいて、可能性の幅は広がり、探求すべき選択肢の数も指数関数的に増加する。そのためさまざまなリソースや方向性、スタイルを試してみるために時間を費やすことと、1つのアプローチに集中してそれを使いこなせるよう努力することの間で悩むようになるだろう。この悩みは、学習において新しい道を探ることを繰り返し、それに専念することで試してみているうちに解消される。確かにゴッホはさまざまな問題を抱えていたが、ゴッホが見事だったのは、この「さまざまなアイデアを試し、それに積極的に取り組んでみる」というパターンだった。

「実験マインドセット」で学習する

成長できると信じ、すべての可能性を探る

実験するに当たって必要となる姿勢と、スタンフォード大学の心理学者キャロル・ドゥエックが「成長マインドセット」と呼ぶものの間には類似点がある。[注6] 彼女の研究によると、人が自分自身の学習や潜在能力を考える際には、2つの異なる姿勢が存在する。「硬直的マインドセット」では、学習者は自分の特性が固定的、あるいは生まれつきのものであると信じ、したがってそれを改善しようとしても意味がないと考える。一方の「成長マインドセット」では対照的に、学習者は自らの学習能力を積極的に向上させることができると考えている。

ある意味で、これら2つのタイプの考え方は、自己実現的な予言になっている。自分を改善でき、成長させられると考える人はそうなり、自分が固定され、変わることができないと考える人は停滞してしまうのである。

これと実験に求められる姿勢との類似性は明らかだ。実験は、「自分の仕事へのアプローチ方法は改善できる」という信念に基いている。自分の学習スタイルが固定されていると思ったり、変えることのできない長所や短所があって、スキルに対する異なるアプ

ローチを取ることはできないと考えていたりすると、まったく実験できなくなってしまう。**私はこの「実験マインドセット」を、成長マインドセットの延長にあるものだと考えている。成長マインドセットが成長の機会と可能性に目を向けることを促す一方で、実験はそうした成長を実現するための計画を生み出す。**実験マインドセットは、単に成長が可能だと仮定するだけでなく、そこへといたる可能性のあるすべての道を探る戦略をつくり出すのである。

実験に適した精神状態に入るためには、自分の能力が改善できるものだと考えるだけでなく、それを可能にする膨大な道があるのだと理解しなければならない。その可能性を現実のものとするためには、独断ではなく探求がカギを握る。

どのように実験するか?

効率的に実験するための5つの戦術

実験は単純に思えるかもしれないが、それを実際に進めるのが非常に難しい場合もある。それはでたらめな行動をしていても熟練できるわけではないからだ。実験が機能するためには、自分が学習上でどのような問題に直面しているのかを理解し、その問題を解決する方法を考え出す必要がある。皆さんがウルトラ・ラーニング・プロジェクトに実験を組み込む際に役立つ戦術を、いくつか紹介しよう。

戦術1　コピーして創造する

この最初の戦術は、ゴッホの例にも見ることができる。ゴッホはオリジナルの作品を数多く残しているが、他の画家が描いた絵を模写することにも多くの時間を費やした。コピーは実験の問題を単純化する。それは意思決定のスタート地点を提供してくれるからだ。ゴッホのように絵画を学んでいるのであれば、どのようなアートをつくるのか、どのようなテクニックを適用するかといった可能性は幅広いため、その中からどれを選ぶのかは非常に難しく、不可能な場合すらある。しかし他の芸術家を模倣するところからスタートすると、それを足がかりとして創造的な方向へとチャレンジすることができる。

この戦術には、選択肢を単純化する以上の利点がある。自分が憧れる例を模倣しようとする場合は、その例を分解して、なぜ機能するのかを理解する必要がある。そうすることで、模倣する相手が何を上手くやっているのかという、実験の前には明らかになっていない秘密がわかることが多い。また他人の作品を真似することで、重要だと思っていたが実際にはそうではない要素に対する幻想を払ってくれる。[注7]

戦術2 手法を並べて比較する

科学的手法は、2つの状況の違いが研究対象の変数に限定されるよう、条件を注意深く制御することで機能する。このプロセスを学習の実験に適用するには、2つの異なるアプローチを試し、その際1つの条件だけを変更して影響を確認するようにする。2つのアプローチを並べて適用してみることで、最も効果的な方法だけでなく、どの方法が自分のスタイルに適しているかについて、情報を素早く得られるのだ。

私はこれを、フランス語の語彙の学習に応用した。私は暗記術にどのくらい効果があるのか確信が持てなかったので、1ヶ月間、毎日50の新しい単語を見つけて、そのうち半分を単に辞書から集めた訳と一緒に眺め、残り半分を視覚的な暗記術を使って覚えてみるようにした。そして後にテストを行い、それぞれのグループからランダムに単語を選んで、どのくらい意味を覚えていられたかを確認した。

本書の回想と保持の章を読まれた方であれば、結果は予想できるだろう。暗記術を使って覚えた単語の方が、そうでない単語の倍近く覚えていられたのである。このことは、暗記術の準備に多少時間がかかったとしても、そうするだけの価値があることを示していた。

このような、いわゆる「スプリットテスト（A／Bテスト）」を行うことには2つの利点がある。1つは科学的な実験と同様に、変化させるのをテストしたい要素だけに限定すると、どの方法が最も効果的かについてのより良い情報が得られるという点だ。そしてもう

1つが、複数の方法で問題を解決したり、複数のスタイルを適用したりすることで、専門知識の幅が広がる点である。

自分自身にさまざまなアプローチを試してみるのを強いることで、安全地帯の外で実験することが促される。

戦術3　新しい制約をつくる

学習を始めたばかりのときに直面する問題とは、何をすべきかわからないことだ。一方で、最終的な学習の課題は、何をすべきかをすでに知っていると思い込んでしまうことである。後者の問題によって、私たちは古い習慣や解決法に戻ってしまう。それは単に体に染みついているだけであり、古い方法がベストであるとは限らない。

こうした習慣の罠から抜け出すための強力なテクニックが、新しい制約をつくり、古い方法を使えなくすることである。

これはデザインの世界において、自明の理となっている。最高のイノベーションは、制約の中で創造されるのである。デザイナーに無限の自由を与えてしまうと、結果的に生まれるのは混乱だ。

しかし作業に対して何らかの制約を設けると、あまり馴染みのないオプションを検討することが促され、基本的なスキルを磨くことができる。新しい能力を育てるために、どのような制約を設けることができるだろうか？

戦術4　スキルを組み合わせてスーパーパワーにする

何かに熟練するための伝統的な方法は、明確に定義されたスキルを身につけ、それを非常に上手く行えるようになるまで絶え間なく練習することである。たとえば多くのアスリートが、シュートやジャンプ、キック、スローなどを完璧なものにするために、何十年もそのトレーニングを行う。

しかしクリエイティブなスキル、あるいはプロフェッショナルなスキルの領域では、より利用しやすい方法がある。それは必ずしも関係していない2つのスキルを組み合わせ、どちらか一方のスキルだけに特化している人にはない、明確な優位性を身につけるというものだ。たとえばあなたは、「人前で話すことが得意なエンジニア」を目指すことができるだろう。最高のエンジニア、あるいは最高のプレゼンターにはなれないかもしれないが、これら2つのスキルを組み合わせることで、カンファレンスにおいて自社のエンジニアリングに関する話題を発表するのに最適の人物になれる。

それによって、仕事上で新たなチャンスも得られるだろう。漫画『ディルバート』の著者スコット・アダムスは、自分が成功したのはこの戦略に従ったからだと考えている。[注8] 彼はエンジニアとしての経歴と、ＭＢＡ（経営学修士）取得者、漫画家を組み合わせたのだ。

このレベルの実験は、複数のウルトラ・ラーニング・プロジェクトをまたがる形で行われることも多い。たとえば私はMITチャレンジを終えた後、習得したプログラミングの知識を応用して、中国語を学ぶためのフラッシュカードを自動的に生成するプログラムを書くことができた。すでに獲得したスキルが他のスキルにどう影響するかを探ることで、このような相乗効果が可能になる。

戦術5　極限を追求する

ゴッホの作品は、多くの面で通常の絵画とは異なっていた。彼の厚く塗った絵の具は、ルネッサンスの巨匠たちが使っていた、薄い釉薬の層にはほど遠かった。また彼は素早く絵の具を塗り、それは他の画家たちの慎重な筆使いよりもはるかに速かった。そして彼の使う色は、大胆で派手だった。ゴッホの画風が通常と異なる点を整理した図をつくったとしたら、彼がいかに多くの点で極端な存在であったかが理解できるだろう。

数学は面白いことを教えてくれる。次元が高くなるにつれて、高次元の球体の体積の大部分は、その表面近くに位置することになるのだ。たとえば2次元（円）では、質量の20パーセント弱が、半径の10分の1で表される外殻に存在する。3次元（球）では、この数字がおよそ30パーセントにまで上昇する。そして10次元では、質量のほぼ4分の3が表層に存在するのである。

複雑なテーマを学習するというのは、より高次元の空間で最適な点を見つけようとすることに似ているかもしれない。長さや幅、高さの代わりに、それぞれのテーマにおける質的な次元が増えていくのである。たとえばゴッホの作品で言えば、色彩の補完性や、絵の具の塗り方といった具合だ。そうした要素をさまざまな形で組み合わせて、最適な点を見出すのである。

これが意味するのは、スキルの領域が複雑に（すなわちより多くの次元を含むように）なればなるほど、より広い空間が、極端に高度なスキルの応用によって占められるようになるということである。つまり多くのスキルにとって、最善の選択肢とは、何らかの形でそれを極端なまでに行ってみることだ。真ん中に固執して安全にプレイすることは、正しいアプローチではない。そうしてしまうと、可能性全体の中の、ほんの一部しか探求できないからだ。

自分が育てているスキルの一部の要素で、それを極端なまでに追求することは、たとえ最終的により穏やかなものに戻すことになったとしても、良い探求戦略となる。これにより、可能性のある分野をより効果的に探究できるだけでなく、より幅広い経験を得ることができるのである。

「自分にとってのベスト」を見つける

原則の間にあるトレードオフを超える

学習とは、2つの方向で実験する過程だ。第1に、学習という行為自体が試行錯誤の一種である。直接練習したり、フィードバックを得たり、問題に対する正しい答えを導き出そうとしたりすることはすべて、頭の中にある知識やスキルを現実の世界に適応させる手段だ。第2に、実験するという行為は、学習方法を試すプロセスにおいても行われる。さまざまなアプローチを試して、自分に一番合ったものを使うのだ。

本書で解説している原則は、良い出発点となるだろう。しかしこれらはあくまでガイドラインであり、曲げることのできない鉄の規則ではない。スタートであり、ゴールではない。さまざまな原則の間に正しいトレードオフを見つけることができるのは、実験を通じてだけだ。たとえば直接性が重要になるのはいつか、基礎練習に集中するのはいつか、保持と直感のどちらが学習する上での障害になるか、といった具合である。また実験を行うことで、原則のリストに網羅されていないような、小さなアプローチの違いを判断することもできる。

また実験マインドセットを持つことで、自分が快適に感じている領域の外も探求するようになれる。多くの人々は、同じルーチン、同じ限られた方法を使い続け、それをあらゆる学習に当てはめてしまう。その結果、最善の方法を知ることができず、学習上の多くの点で苦労してしまう。

お手本を真似したり、テストを行ったり、極限を追求したりすることは、慣れ親しんだ習慣から抜け出し、何か違うことを試してみるための方法だ。その過程で、抽象的な学習の原則だけでなく、性格や興味、強み、弱みに合わせた具体的な戦術を学ぶことができる。

自分はスピーキングの練習を通じて言葉を学んだ方が良いのか、それとも映画や本からたくさんのインプットを得た方が良いか？　自分のゲームを開発することでプログラミングを学んだ方が良いのか、それともオープンソース・プロジェクトに参加するか？　こうした疑問の正解は1つだけではなく、さまざまな方法で成功を収めることができる。

私自身にとっても、学習は絶え間ない実験のようなものだ。大学では仲間や人脈をつくることに集中した。MITチャレンジでは、基礎の練習をすることに切り替えた。最初の語学学習では気を抜いていたために、ほとんど母国語である英語しか喋っていなかった。しかし第2ラウンドでは、別の極端な学習法を試し、問題を回避するようにした。

学習プロジェクトの間、私は頻繁に学習法を変える必要があった。たとえば似顔絵チャレンジでは、たった30日間だったにもかかわらず多くの試行錯誤を繰り返した。まずはスケッチから始めたのだが、そのアプローチで上達するスピードが落ちてくると、より多くのフィードバックを得るためにスケッチの速度を上げるようにした。それも上達の限界に達すると、より高い精度で絵が描けるようになるように、時間をかけて別のテクニックを学んだ。

私の成功の裏には、多くの失敗が潜んでいる――上手くいくと思っていたのに、惨めな失敗に終わったこともある。中国語を学び始めた頃、私は何らかの暗記術を使って単語を覚えることができるだろうと考えていた。色やシンボルを使って、音調や音節を覚えようというわけである。それは中国語の響きが英語とはまったく異なっていて、普段使っている、視覚的に覚えやすい形に変換するという方法が使えなかったためだ。

結果は惨敗で、まったく機能しなかった。その一方で、新しい手法を使った実験が大成功したこともあった。本書で紹介しているさまざまなテクニックの大部分は、上手くいくかわからないアイデアのレベルから始まっている。

実験は他のすべてを結びつける原則だ。新しいことに挑戦したり、学習上の特定の課題を解決する方法を真剣に考えるだけではなく、役に立たない方法をあっさりと捨てられるようになる。慎重に実験することで、自分の最高の可能性を引き出せるだけでなく、悪い習慣や迷信といったものに効果がないことが証明され、それを排除できるのである。

第13章

最初のウルトラ・ラーニング・プロジェクト

始まりはいつも今日から。
――メアリー・シェリー

そろそろ皆さんも、自分のウルトラ・ラーニング・プロジェクトを始めたくなっているだろう。これまで怖いから、不快だから、あるいは時間がないからといって先延ばしにしてきた何を学べるだろうか？　自分の時代遅れになってしまったスキルを、新しいレベルへと向上させることができるだろうか？

ウルトラ・ラーニングにおける最大の障害とは単に、ほとんどの人々は、自分で自己学習をスタートさせることに十分な関心を払っていないという点だ。しかし本書をここまで読み進めてきた皆さんは違うだろう。どんな形であれ、学習は皆さんにとって重要なものだ。問題は、その関心という火花が心に火を点けることになるのか、それとも小さすぎて消えてしまうかである。

ウルトラ・ラーニング・プロジェクトは簡単ではない。それには計画、時間、そして努力が必要だ。しかし努力するだけの価値はある。難しいことを素早く効果的に学べるというのは、強力なスキルなのである。成功したプロジェクトは、別のプロジェクトにつながるという傾向もある。最も多くの検討と対応が必要になるのは、最初のプロジェクトであることが普通だ。しっかりと準備され、上手く実行された計画は、将来より困難な課題に挑戦する自信を与えてくれる。

プロジェクトが失敗しても、それ自体は悪いことではないが、この先似たようなプロジェクトを実施することをためらってしまうかもしれない。本章では、どうすれば最初のプロジェクトを正しく進められるかについて、私が学んだことのすべてを解説しよう。

ステップ1　リサーチする

ウルトラ・ラーニングの「荷造りリスト」

最初のステップは、どんなプロジェクトであっても、優れたスタート地点を探すためのメタ学習のリサーチを行うことである。事前に計画を練っておくことで、多くの問題を回避でき、スキルが身につく前から学習計画を大幅に変更する、などといったこともなくなる。リサーチは、長い旅行に向けて荷造りするようなものだ。必要なものを持ってくるのを忘れて、旅先で買い物しなければならないかもしれない。しかし事前に考えて荷物をきちんと詰めておけば、後々手間取ることはない。ウルトラ・ラーニングの「荷造りリスト」には、少なくとも次の項目を含める必要がある。

1 学習するトピックとその大まかな範囲

当然ながら、何を学びたいのかを理解しなければ学習プロジェクトを始めることはできない。それが明白な場合もあるが、どのスキルや知識が最も価値があるかを特定するために、さらに調査が必要な場合もある。もし目標が何らかの手段を学ぶことなら（起業する、昇進する、原稿を書くための調査をするなど）、「何を学ぶ必要があるのか」を学ぶことは重要であり、それはどのくらい広く・深く学ぶ必要があるかも示してくれるだろう。

最初は狭い範囲から始め、学習を進めるにつれて広げることをお勧めする。「簡単なトピックについて15分間会話をするのに十分な標準中国語を習得する」は、読み書きから歴史の勉強まで含まれる可能性のある「中国語を学ぶ」よりも限定的な目標となる。

2　使用する主なリソース

これには教科書やビデオ、クラス、個人指導、ガイド、さらには指導者、コーチ、一緒に取り組む仲間まで含まれる。学習プロジェクトのスタート地点を決めるのは、このタイミングだ。

たとえば「パイソンでのプログラミングに関する入門書を読み、練習問題を完了させる」や「アイトーキーのオンライン個人指導を通じてスペイン語を学ぶ」「スケッチを描いて絵の練習をする」といった具合である。一部のテーマでは、静的なマテリアルによって学習の進み方が決まる。練習を支援してくれるマテリアルもある。いずれにしても、学習を始める前にその特定、購入、借用、あるいはユーザー登録を行う必要がある。

3　同じテーマの学習に成功した人物のベンチマーク

人気のある学習テーマであれば、たいていはオンラインフォーラムが存在していて、以前にその知識やスキルを学んだ人々がアプローチを共有している。そうした場を利用して、自分の習得したいテーマをすでに習得した人々が、そのためにどのような学習を行ったかを確認すべきだ。

これは彼らの行動を完全に真似しなければならないという意味ではない。しかしそうすることで、重要なものをすっかり見落としてしまうのを防ぐことができるだろう。第4章の「エキスパートインタビュー法」は、このベンチマークを行うのに適した方法である。

4　直接練習となる活動

皆さんが学ぶ知識やスキルは、最終的には必ずどこかで使われることになる。他の知識やスキルを学ぶために使われるということもあるだろう。スキルをどのように使うかを考えることで、それを実践する機会をできるだけ早く見つけることができる。直接練習が不可能な場合でも、そのスキルを使う際に精神面で求められるポイントを模倣できる練習を見つけるべきだ。

5　予備の教材と基礎練習

使用する主な学習リソースや手法を決めるだけでなく、予備の教材と基礎練習を確認しておくことをお勧めする。予備教材は、特定のツールや教材のセットが有効であることがわかっていても、最初からその量に圧倒されてしまいたくない場合に適している。

ステップ2　スケジュールを立てる

プロジェクトを始める前にやるべきこと

ウルトラ・ラーニング・プロジェクトは必ずしも集中的なものであったり、フルタイムで取り組むものであったりする必要はない。しかしある程度は時間を費やす必要があるため、後で時間が見つかることを期待するよりも、学習に専念する時間を事前に決定しておく方が良い。

前もってスケジュールを立てておくことには、2つの意味がある。1つはプロジェクトを他の予定より先んじてカレンダーに書き入れておくことで、無意識のうちにプロジェクトを優先できるという点だ。そしてもう1つは、学習はフラストレーションが溜まるものであることが多く、学習中にフェイスブックやツイッター、あるいはネットフリックスを開いてしまいがちになるという点である。学習に専念する時間をきちんと設けておかないと、やる気を引き出すのがもっと難しくなってしまう。

最初に確認しておくべきなのは、どのくらいの時間を学習に捧げられるかだ。これはスケジュールによって決まることが多い。たとえば転職する際、次の仕事が始まるまで時間があるが、それは1ヶ月間だけかもしれない。あるいは週に数時間だけ、新しいことを学ぶのに専念できる時間を取れるかもしれない。いずれにしても、コミットできる時間を事前に決めておこう。

2番目に決めなければならないのは、いつ学習するかだ。日曜日の数時間? 1時間早く起きて、仕事を始める前にするか? それとも夕方? 昼の休み時間?

ここでも最善の方法は、スケジュールに基いてできる限り学習を簡単にできるようにすることだ。空いた時間にできる限り学習しようと詰め込むよりも、毎週同じくらいの量を学習するという、定期的なスケジュールを立てる方をお勧めする。そうした一貫性は良い習慣を生み出し、勉強に必要な労力を減らしてくれる。選択の余地がなければ、不定期に勉強の予定を入れるのも仕方がないが、その場合はより自制心が求められるだろう。

スケジュールに柔軟性がある場合は、それを最適化できる。短い時間の勉強を、間隔を空けて行う方が、詰め込み型の学習より望ましい。しかし執筆やプログラミングなど一部のタスクでは、ウォームアップに長い時間が必要なため、中断されない時間を長く取る方が望ましい。自分にとって何がベストかを知る最善の方法は、実際に試してみることだ。ウォームアップに時間がかかるようであれば、1回の学習時間を長くするようにスケジュールを組む。開始して数分以内に作業に取りかかれるようであれば、1回を短くして学習時間を分散させると、記憶の長期的な保持に役立つ。

3番目は、プロジェクト期間の長さだ。私は通常、長いプロジェクトよりも短いものを好む。その方が継続しやすいからだ。1ヶ月間の集中的なプロジェクトであれば、生活上の変化や、モチベーションの低下などによる中断のリスクが下がる。短期間では達成できない大きな目標を追いたいのであれば、それを数ヶ月単位に分割して実施することをお勧めする。

最後に、スケジュールに関するこれらすべての情報を、カレンダーに書き入れておこう。プロジェクトのすべての作業時間を事前にスケジュール化しておくことは、計画管理の面から、そして心理的な面から大きなメリットがある。管理の面から言うと、こうすることで、休暇や仕事、家族の予定などによって、スケジュールに矛盾が生じていないかを確認できる。

心理面では、単に計画を立てて机の引き出しにしまっておく場合よりも、立てた計画を忘れずに行動するのに役立つだろう。さらにスケジュールを組むという行為自体が、自分のプロジェクトに対する真剣さを形にすることになるのだ。

私はMITチャレンジを始める前に、仮の学習スケジュールを書いておいたのをはっきり覚えている。それは朝起きて午前7時までに勉強を始め、午後6時まで続けて、その間に取る休憩は短い昼食だけというものだった。実際には、この理想のスケジュールが守られることはほとんどなかった（最も集中力のあった初期の頃でさえ、11時間ぶっ通しで勉強したのは稀だった）。だがスケジュールを書き留めるだけで、今後のプロジェクトに心理的に備えることができた。

カレンダーに時間を書き入れたくないと思っているのであれば、実際には勉強に時間を割きたいとは思っていないのだ。この段階で迷っているのであれば、それはあなたの心がスタートする準備が整っていないというサインである。

さらに追記しておくと、6ヶ月以上の長期プロジェクトを行おうとしている人には、スケジュールにパイロット期間を設けることを強く勧める。これはシンプルな話で、プロジェクトにコミットする前に、1週間かけてスケジュールをテストしてみるのである。こうすることで、それがどのくらい難しいのかを実感でき、自信過剰になることを防げるだろう。

この最初の1週間を過ごしただけで燃え尽きているようであれば、調整が必要になる。いったん戻って計画を見直し、自分の生活に合うようにするのは、恥ずべきことではない。このような調整を行うことは、計画が破綻することが最初からわかったからといって諦めてしまうよりもずっと良い。

ステップ3　計画を実行する

現状が理想から外れているかどうかを判断するための質問

どのような計画から始めようと、いまがそのスタートを切るときだ。完璧なプランなどなく、実際の自分の学習が、ウルトラ・ラーニングの原則が確立した理想とはほど遠い状態にあると気づくかもしれない。あるいは積極的に回想して練習するのではなく、受動的な読書に頼りすぎた計画になっていると感じるかもしれない。自分の練習方法が、スキルを実際に活用する場面からはかけ離れたものになっていることに気づくかもしれない。物事を本当に理解していないのに、それを覚えたり忘れたりしているだけのように感じるかもしれない。

それでも大丈夫だ。場合によっては、リソースが足りないことで完璧な学習方法を実現できないこともある。しかし自分の学習方法がウルトラ・ラーニングの原則と一致していないのに敏感になることで、それを改善するにはどのような変更を加えれば良いか、感じ取れるようになるだろう。

現状が理想から外れているかどうかを判断するための質問を、いくつか紹介しよう。

原則1　メタ学習

テーマとする知識やスキルを学ぶ際の典型的な方法を調べたか？　成功した学習者にインタビューして、アドバイスを得たか？　プロジェクトの準備のために、その総時間の10パーセントを費やしたか？

原則2　集中

学習中に集中しているか？　マルチタスクで気が散っていたりしないか？　決めておいた学習時間を飛ばしたり、延期したりしていないか？　学習を開始してから集中状態に入るまで、どのくらいの時間がかかっているか？　どのくらいの時間学習していると、集中が途切れ始めるか？　注意力はどのくらい鋭いか？　創造性を発揮するには集中した方が良いのか、それとも発散した方が良いか？

原則3　直接性

スキルを、それが実際に使われるのと同じ形で練習できているか？　そうでないなら、練習と実際の状況を比べた場合、どのような精神的プロセスが欠けているだろうか？　本や授業、映像から学んだ知識を実際の生活へと転移させるにはどうすれば良いか？

原則4　基礎練習

自分のパフォーマンスにおいて最も弱い部分を集中的に練習できているか？　上達を妨げている律速段階はどこか？　上達が遅くなっているように感じたり、スキルの中で習得しなければならない要素が多すぎるように感じたりしているか？　その場合、複雑なスキルを分割して、より小さく、管理しやすい部品にするにはどうすれば良いか？

原則5　回想

学習時間の多くを、読書や復習だけに費やしてはいないだろうか？　それとも問題解決や、ノートを見ずに記憶だけで思い出す練習に費やしているか？　学んだことを覚えているかどうかテストする方法はあるか？　それとも単に覚えていると仮定しているだけか？　昨日、先週、1年前に学んだことを上手く説明できるか？　それをどう実証できるか？

原則6　フィードバック

早い段階で、自分のパフォーマンスについて正直なフィードバックを得られているか？　それともパンチをかわして批判を耳に入れるのを避けているか？　自分が何を学んでいるか、何を学んでいないのか把握しているか？　フィードバックを正しく活用しているか？　ノイズの多いデータに過剰に反応してはいないか？

原則7　保持

学んでいることを長期的に覚えているための計画はあるか？　記憶に残るよう、間隔を空けて情報に触れるようにしているか？　事実に関する知識を覚えておくために、それを手続き化しているか？　スキルの最も重要な側面を過剰に学習してはいないか？

原則8　直感

学んでいることを深く理解しているか？　それとも単に暗記しているだけか？　自分が学んでいる概念や手順を他人に説明できるか？　自分の学んでいることがなぜ真実だと言えるのか、はっきりと理解しているか？　すべて恣意的で、無関係なものに感じたりしていないか？

原則9　実験

現在のリソースや手法に縛られてはいないか？　目標を達成するために、もっと手を広げて新しいアプローチを試す必要はないか？　基本をマスターするだけでなく、独自のスタイルを確立して、問題を創造的に解決したり、他の人がまだ探求していないことをしたりするにはどうすれば良いか？

これらの原則は学習の目的地ではなく、方向性にすぎない。いずれの場合も、いまどのように教材に取り組んでいるかを把握し、異なる形で実行することはできないか考えるようにする。学習リソースを変える必要があるか？　同じリソースを使い続けながら、別の種類の練習により多くの時間を費やすべきか？　集中、直接性、フィードバックを実現するために新しい環境を探すべきか？　これらはすべて、学習プロジェクトの途中で行える調整だ。

ステップ4　結果を評価する

学習プロセス全体の洗練と向上を目指す

プロジェクトが完了したら（あるいは何らかの理由で一時的に中断したら）、少し時間をかけて結果を分析する必要がある。何が上手くいったか？　何が駄目だったか？　同じ間違いをしないために、今後はどうすべきか？

すべてのプロジェクトが成功するわけではない。私自身、上手くいったウルトラ・ラーニング・プロジェクトもあれば、期待していたほど上手くいかなかったものもある。プロジェクトが上手くいかないと、意思やモチベーションの弱さを非難してしまいたくなるものだが、プロジェクトの問題はその構想段階にまで遡れることが多い。

私は語学学習の旅を終えた後で、自分の韓国語を改善するためのプロジェクトを開始し、週に5時間費やすことにした。このプロジェクトは期待通りの成果を生まなかったが、それは最初から没入型の直接練習に十分な時間をかけていなかったからだった。代わりに頼りすぎていたのが教科書の練習問題で、それは退屈で、現実世界への転移もあまり行われなかった。もう少しきちんと計画を練っていれば、途中で飽きて方向転換するのではなく、事前に1～2週間かけて練習する場所を探していただろう。

私のこの苦労は、ウルトラ・ラーニングの原則を習得するには長い時間がかかることを示している。私は何度も語学学習を経験し、何が上手くいくのかを知っていたにもかかわらず、プロジェクトの計画が適切ではなかったために、さほど効果的でないアプローチを採用してしまった。

プロジェクトが期待通りにいかない場合もあるが、そこから得られる教訓は貴重だ。私は認知科学をより深く学ぶためのプロジェクトを、参考書のリストをつくるところから始めた。しかし最終的には、このプロジェクトから本書を書きたいという願望が生まれ、私はより幅広い科学分野に触れることとなり、その成果をまとめてより直接的な形で応用することができた。

成功したプロジェクトも分析する価値がある。それは失敗したプロジェクトよりも多くを語ってくれることが多いのだ。プロジェクトが成功した理由は、今後のために維持し、複製するべき要素そのものだからである。すべての自己学習と同様、ウルトラ・ラーニングの目標は、単に1つのスキルやテーマを学ぶことではなく、学習プロセス全体を磨き、向上させることだ。成功したプロジェクトは、次のプロジェクトを洗練させ、改善することができる。

ステップ5　学んだ知識をどうするか？

スキル習得後に検討したい3つのオプション

学習プロジェクトが終わり、その分析も済んだら、1つの選択を迫られる——習得したスキルで何をするか？　である。何の計画もなければ、得た知識はやがて消えてゆく。これはウルトラ・ラーニングの原則に従うことで、ある程度は緩和できるが、何の手も打たなければ知識は崩壊する。それにどう対処するかを決める最適なタイミングは、学習が終わった直後だ。

オプション1　維持

第1の選択肢は、特に新しいレベルに到達するという具体的な目標を掲げず、スキルを維持するのに十分な練習をすることだ。これは定期的な習慣を身につけるだけで達成されることが多い（必要最低限の習慣でも十分だ）。保持の章で解説したように、「英語を話さない1年」プロジェクトを終えた後で私が心配したのは、短期集中型で言語を学ぶと、急速に学習できる一方で急速に忘れてしまうのではないだろうかという点だ。そこで私は、1年間の旅行を終えた後も、覚えた言語の学習を続けることにした。各言語について、最初の年は週に30分間、その次の年からは月に30分間を勉強に割くことにしたのである。

もう1つの方法は、学んだスキルを日常生活の中に取り入れることである。これは私がプログラミングのスキルを維持している方法だ。私はプログラミング言語のパイソンでスクリプトを作成し、面倒な作業を処理させている。この種の練習は散発的なものになるが、スキルをずっと維持することを保証できる。これはある意味で簡易版のスキル活用で、私がMITの授業で学んだ高度な数学やアルゴリズムからはほど遠いが、それでも次の大きなプロジェクトに乗り出す際には、十分な足がかりとなってくれるだろう。

100年以上前にヘルマン・エビングハウスによって発見されたように、忘却は指数関数型の曲線を描いて進む。つまり長い間保持されていた記憶は、その後フォローアップをすることで、忘れ去られる可能性が低くなる。したがって、維持を実践することにより、学んだ知識やスキルの大部分を忘れずにいられる可能性があるわけだ。おそらく私が言語学習において行ったのと同様に、学習プロジェクトを終えた直後はある程度頻繁に維持の化するということになるだろう。

活動を行い、その後1~2年が経過したら時間を減らしていくことで、保持の効果を最大化するということになるだろう。

オプション2　再学習

せっかく学習したことを忘れてしまうというのは望ましくないが、多くのスキルでは、それを継続的に維持するコストより、忘れた後で再学習するコストの方が小さくなる。これにはいくつか理由がある。第1に、学習によって学んだ内容は実際に必要とするもの以上であった可能性があり、したがって余計な分が使われずに忘れ去られてしまっても、それはあまり重要ではなかったのだとして無視することができる。

私はMITチャレンジにおいて、二度と使うことはないだろうと感じる科目も数多く学習した。その要点を理解しておくことが、後で役に立つかもしれないと考えたのである。たとえば私にとって、様相論理の定理を証明する力を維持しておくことは、あまり価値がない。様相論理が関係する何かを学ばなければならなくなったときに、それが何を意味するのか、どう応用できるかを理解できる状態であれば、おそらく十分だ。

一般的に、再学習は最初の学習より簡単に済む。テストにおけるパフォーマンスは低下するものの、知識は完全に忘れ去られるというより、アクセスできなくなっているだけの可能性が高い。つまり復習のための勉強や練習をするだけで、最初に学習した時間の何分の1かの時間で、知識やスキルを回復できるのである。

この戦略は、頻繁に使用する必要がなく、またそれを使わなければならない状況が何の警告もなしに訪れるようなことのないテーマに最適だ。ある種の問題において、特定の知識領域が役立つことを理解しておくのは、問題を解決する詳細な方法を知っていることより重要である場合が多い。問題解決の詳細は再学習できるが、前者を忘れると問題解決できなくなるからである。

オプション3 熟練

そして第3の選択肢は、当然ながら、学んだスキルをさらに深く掘り下げることだ。これはより軽いペースで練習を続けるか、フォローアップのために別のウルトラ・ラーニング・プロジェクトを実施することで達成できる。私が自分自身の学習から学んだパターンは、最初のプロジェクトでは広い領域と基礎をカバーし、これまで見えていなかった、将来的な学習の可能性を明らかにするというものだ。

その後で、学習した領域の中にあるサブトピックを選び、フォローアップすることができる。あるいは学習したスキルを、ある領域から別の領域へと移すこともできる。中国から帰ってきた後で私が掲げた目標の1つは、中国語の文章をもっとすらすらと読めるようになることだったが、それは中国滞在中に偶然降って湧いた目標だった。

何かを完全にマスターするというのは、1つのプロジェクトを超える長い道のりだ。ただ最初の努力で壁を乗り越えることで、その後に続く、熟練への長くゆっくりとした過程が開かれることもある。多くの領域において、スタートを切るというのは非常に面倒であり、ある程度努力しなければ練習を続けられない。しかしある一定の閾値を超えると、学習プロセスは知識を積み重ねていくものへと変化するために、より穏やかなペースで進めることができるようになる。

一方、途中で行き詰まるプロジェクトもあり、その場合はいったん覚えたことを忘れるために時間を費やして、そこから再びフラストレーションを乗り越えて学習を進めなければならない。この種のプロジェクトでは、ウルトラ・ラーニングの正確かつ積極的な手法から多くの恩恵を得て、最終的な熟練へと到達できるだろう。

ウルトラ・ラーニングの代替策

ウルトラ・ラーニング以外の2つの戦略

第2章の冒頭で、ウルトラ・ラーニングとは戦略であると指摘した。戦略であるというのはつまり、それは特定の問題を解決するのに適しているということになる。この取り組みがさほど一般的ではないことから、本書では効果的に学習するためのすべての方法を発散的に説明するのではなく、ウルトラ・ラーニングという戦略にフォーカスしている。しかしその解説もほぼ終えたので、今度は異なる文脈においてウルトラ・ラーニングとともに機能する、２つの別の戦略について解説したい。

私が出会ったウルトラ・ラーナーたちの中で、すべての学習に対して同じアプローチで臨んだという人はいない。たとえばベニー・ルイスは、言語を短期間で集中的に学ぶプロジェクトを行っているが、彼は学んでいる言語が使われている国を何度も訪れることで、身につけた言語をさらに深堀りして熟練させるようにしている。ロジャー・クレイグは「ジョパディ！」で勝利するために集中的な学習を行ったが、番組への出演が間近に迫っていなかった時期には、ゆったりと雑学を頭に入れることにも取り組んだ。

ウルトラ・ラーナーであるということは、あらゆる学習を集中的かつ劇的な形で行うという意味ではない。ここで２つのウルトラ・ラーニングの代替策について簡単に説明し、それらが「生涯学習」というより大きな文脈でどう位置づけられるのかを考えてみたい。

代替策１　軽い習慣

負担の軽い習慣という代替策は、学習が自発的に行われ、フラストレーションのレベルが低く、学習すること自体にやりがいが感じられる場合に機能する。この場合、学習への障害はかなり低く、それを簡単に始めることができる。派手なプロジェクトや原則、努力などは必要ない。

たとえばある言語を日常会話レベルまで習得できると、それが使われている国を訪れたり暮らしたりすることが簡単になり、その後長い時間をかけてさらに多くの語彙と知識を習得できる。同様に、仕事で使えるほどプログラミングに通じるようになると、その仕事から定期的に新しいことを学べるようになる。学んでいるテーマの基礎をマスターして、より難しい本が読めるようになっている場合には、そのテーマに関する新しい本を読むことは時間さえあれば可能であり、新しい学習戦略が必要になるわけではない。

もちろん習慣といっても幅があり、努力する必要のない自発的な行動から、多くの努力が必要になる、ウルトラ・ラーニングによる短期間でのスキル習得までさまざまだ。ただほとんどの習慣はその間にあり、ある程度の努力は必要なものの、ウルトラ・ラーニング・プロジェクトほどの集中的な活動は必要としない。

たとえば自分でマクロを組めるほどエクセルの知識があったとしても、それを活用する機会が常にあるわけではないため、維持するためには意識的に練習する必要がある。スピーチに関する知識を学んだことがあっても、ステージに上がるためには度胸が必要だ。長期的な習慣を身につけるのが良いのか、集中的なウルトラ・ラーニング・プロジェクトを始めるのが良いのかの判断は明確ではないことが多く、厳格なルールに従うよりも自分の性格や生活上の制約に左右されるだろう。

習慣は、学習の大部分が蓄積のプロセス、つまり新しいスキルや知識を追加していく場合のときに最も上手く機能する傾向がある。ウルトラ・ラーニングとより緻密な努力は、上達を進める際に、効果のない行動やスキルを忘れることが必要な場合により適している。外国語の語彙を増やすというのは、多くの場合、蓄積（これまで知らなかった単語を少しずつ覚えていく）という進みが遅いプロセスだ。一方で発音の改善は、覚えていることを忘れる行為となる。発音を練習する際には、自分にとって自然ではない筋肉の動きをしなければならないからだ。また学習に大きなフラストレーションや心理的な障壁が伴い、いかなる種類の練習も、習慣化が難しいほど大きな努力が要求されるような領域には、ウルトラ・ラーニングの方が優れている傾向がある。

本書を通じて、学習に効果的な行為をすることと、簡単で楽しいことの間に生じるトレードオフについて解説してきた。最も楽しいことがあまり効果的でなく、効果的なことが簡単でない場合があるのだ。このようなトレードオフを考えると、ある程度の効果を犠牲にしても、より簡単で楽しい学習方法を選ぶようになってしまうかもしれない。

しかし私自身の経験から言うと、楽しさとは、何かが上達することから生まれる場合が多い。あるスキルに自信が持てるようになると、さらに楽しくなる。したがって、短期的にはこれらの間に緊張関係が生まれるものの、積極的なウルトラ・ラーニング・プロジェクトを追求することは、学習を楽しむためのより確実な道になる傾向がある。プロジェクトを進めているうちに、学ぶのが自動的に楽しくなるレベルに達する可能性が高いからだ。

代替策2　構造化された正式な教育

第2章の冒頭で、ウルトラ・ラーニングが自己管理的だと解説したが、それは必ずしも孤独な活動であるという意味ではない。自己管理的とは「自分で決断を下す」という意味であり、他の人々が関与しないという意味ではないのだ。したがって、学校や大学の中でウルトラ・ラーニング・プロジェクトが行われても矛盾はない。それが自分の習得したいスキルを学ぶ最良の方法である場合もある。他の学習法と同様に扱おう。

その一方で、ウルトラ・ラーニングではなく、正式な教育を選んだ方が良い場合も解説しておく価値があるだろう。最もわかりやすい例は、資格を習得する場合だ。自分の就きたい仕事でそれが必要、もしくは推奨されている場合、学習のために犠牲を払うことを受け入れなければならない。**本書で伝えたいメッセージは、「学習のために大学を中退せよ」ではなく、「どんな場合でも、自分自身の学習を自分で管理せよ」である。**

正式な教育を選ぶもう1つの理由は、それによって有益な学習環境が得られるためである。学校教育の多くの側面は非常に間接的で、学習効果は低いのだが、そうでない側面もある。たとえば一部のプログラムでは、自分だけで行うのは困難なチームプロジェクトも用意されている。

そして最後の理由は、大学院レベルの教育機関では、学習に没頭することが可能なコミュニティを提供してくれており、そこでは教科書や論文に記載されているアイデアだけでなく、各分野の専門家たちの間で間接的に伝えられるアイデアに接することができるためである。ウルトラ・ラーニングはそうした機会を否定するものではなく、そんなものは存在しないとか、自己管理的学習の方が優れていると訴えているなどと誤解しないでほしい。ウルトラ・ラーニングはスローなペースの学習法や、一般的な教育を否定するものではない。何かを学べる可能性は、見た目よりもずっと大きいかもしれないというのが、私が広めたい認識だ。

生涯を通じての学習

ウルトラ・ラーニングにチャレンジしよう

ウルトラ・ラーニングの目標は、学習の機会を狭めることではなく、広げることである。それは新たな学習の道を創造し、人々に傍観者としてじっと待ち続けるのではなく、積極的にその道を進むよう駆り立てる。ウルトラ・ラーニングは万人向きとは言えないが、やる気のある人にはぜひチャレンジしてほしい。

おわりに――ウルトラ・ラーニングについての私の結論

多くの点で、本書の執筆自体もウルトラ・ラーニング・プロジェクトだった。本を書くために著者がリサーチを行うことはまったく珍しくないが、すべてのウルトラ・ラーニング・プロジェクトが、それを行う人にとって重要なものであるべきというわけではない。私の自宅の書斎には、何千ページもの雑誌記事がまとめられたバインダーの山がある。本棚には、学習に関する無数の論文が収められている。さまざまな研究者との間で行った電話は、「フィードバックは役に立つのか?」や「なぜ人は忘れてしまうのか?」といった単純な質問でさえも、一筋縄ではいかないことを私に教えてくれた。

また私は著名な知識人、起業家、科学者の伝記を数多く読みあさり、彼らがどのように学習に取り組んだのかを理解しようとした。本書の執筆は、ウルトラ・ラーニングに関する本を書くというウルトラ・ラーニング・プロジェクトだったのである。私は以前から学習というテーマに強い関心を抱き、本書のための調査を行う前から書籍や論文、伝記などを読んでいたが、それについて深く考えたのは、本書の執筆という構造化されたプロジェクトを開始してからだった。

研究という意味を超えて、本書の執筆は作家としての私に対する1つの挑戦だった。私の執筆経験は主にブログ上のもので、書籍の執筆ではない。一冊の本を適切なトーンで書き上げるというのは難しく、ブログで日々カジュアルな文章を書くのとはまったく異なる。

私は最初から、自分の経験を語るだけでなく、他人の物語や功績を共有したいと考えてきた。それは非常に難しいことだった。伝記や出版されている体験談の多くは、学習方法に焦点を合わせていないからである。学習が話の中心になることがあっても、ほとんどの伝記作家は、対象となる人物の才能に畏敬の念を抱くことで満足してしまい、具体的な学習方法まで掘り下げていない。そのため調査中にはしばしば、500ページもの本の中から、学習方法の詳細に関して書かれた数パラグラフを探し出すことを余儀なくされた。

こうした困難に直面した私は、作家として新しいスキルを身につけなければならなかった。10年以上もブログ記事を書いてきたものの、その中では経験しなかった方法で、リサーチと執筆のスキルを磨く必要があったのである。本書をどのようなスタイルで書くかという点ですら、私にとっては難しい問題となった。それに成功しているかどうかは、読者である皆さんの判断に任せたい。

ウルトラ・ラーニングに関する本を書くというウルトラ・ラーニングのメタプロジェクト自体が、いくつかの重要なアイデアを示してくれる。その1つは、私の執筆スキルと、認知科学と学習の有名な業績に関する知識は大きく深まったものの、まだまだ学ぶべきことは多いという点だ。たとえば学習に関する科学を掘り下げていくと、それに関する無数の論文や理論、概念、実験の山の上に立っているような気がして、すぐにめまいを覚えるだろう。同様に、私が読んだあらゆる伝記の中に、自分自身ではできなかったことがいくつも見つかった。また私が見つけたあらゆるウルトラ・ラーニング・プロジェクトの中には、リサーチでは解明できなかったことがいくつも見つかった。

学習とは無知を理解に置き換えることだと主張するのは、まったくの誤りだ。知識は拡大するが、無知も同様に拡大する。あるテーマについての理解が深まるにつれて、まだ答えのわからない疑問が残されているという理解も深まるのである。

人はこれに真正面から向き合って、自信と謙虚さを同時に持たなければならない。一方で、自分の知識とスキルを深められるのだという信念がなければ、それを実現するためのプロジェクトに乗り出すことはできない。この種の自信は、部外者からは傲慢だと誤解されるかもしれない。何かを素早く、集中的に学ぼうと努力することは、そのテーマが底の浅いものだとか、そのすべてを理解することができるとか主張しているのに等しいようにも見えるからである。

そう思われないように、この自信は深い謙虚さと組み合わされなければならない。私は自分が行ったすべてのプロジェクトにおいて、それを終えたときに、対象となったテーマの学習が完了したと感じたことはない。むしろ突如として、さらに学ぶ余地がいかに大きく広がっているかを認識するようになった。ＭＩＴチャレンジを始める前、私は学部レベルのコンピューター科学の知識さえあれば十分だと思っていた。しかしそれを終えると、その知識をさらに博士号レベルにまで深められることや、それを完全に理解するために一生かけてプログラミングに取り組んでいけることがわかった。また言語学習プロジェクトを通じて、ある言語を日常会話レベルまで使えるようになると、まだまだ多くの単語や表現、文化的なニュアンス、より高度なコミュニケーションを理解しなければならないと実感した。**このように通常、プロジェクトが完了したときには「学習が終わった」と感じるよりも、まだ学んでいないことの方に目が向き、さらなる可能性を覚えるのである。**

この学習の性質こそ、私が最も興味深いと感じている部分だ。人生の中で、人は多くのものを追い求めるが、それにはどこかに飽和点があり、そこを超えると「より多くを得たい」という感覚はより多くを得るにつれて減少する。空腹な人でも、無限に食べられるということはない。孤独な人でも、無限に仲間を増やしたいということはない。

しかし好奇心は例外だ。学べば学ぶほど、より学びたいという欲求が高まる。上達すればするほど、自分がさらに上達できる可能性があることがわかる。読者の皆さんが、自分のウルトラ・ラーニング・プロジェクトを始めてみようと考えているとしたら、私が最も願うのは、皆さんがプロジェクトに成功することではない――プロジェクトのゴールが次のスタートになることだ。あらゆる領域において、そこに小さな割れ目をつくってみることで、想像していたよりもはるかに多くのものが存在しているのに気づくだろう。

謝辞

多くの方々からの助言や支援なしには、本書は完成しなかった。

私はまず、カルバン・ニューポートに感謝したい。彼が勧めてくれなければ、このテーマで本を書こうとは思わなかっただろう。またベニー・ルイスにも感謝したい。彼が最初に与えてくれたインスピレーションと、その後何年にもわたって絶え間なく提供してくれたアドバイスは、学習と執筆に関する私の考えに大きな影響を与えた。

エージェントのローリー・アブケマイヤーは、私の大まかなアイデアを提案書の形にしてくれ、それを実際の本にすることを後押ししてくれた。ステファニー・ヒッチコックには、本書の編集を担当してくれたこと、そして素晴らしいフィードバックと提案をいただいたことに感謝する。

また本書の提案書や草稿を読み、アイデアを形にするのを助けてくれた友人や家族にも感謝している。特にゾリカ・トモフスカ、ヴァッサル・ジャイスワル、トリスタン・デ・モンテベロ、ジェームス・クリアー、ジョシュ・カウフマン、カリド・アザード、バーバラ・オークリーのフィードバックに謝意を表したい。

本書のためのインタビューを受けてくれた素晴らしい方々にも、深く御礼申し上げる。

ロジャー・クレイグ、ビシャル・マイニ、ダイアナ・ジョーンザイカリ、コルビー・デュラン、ヴァッサル・ジャイスワルは私のために時間を割き、彼らの信じられないような体験を詳しく語ってくれた。

また、多くの研究者の方々にも感謝したい。彼らは研究成果を解説し、私が学習の科学を理解することを助けてくれた。特にK・アンダース・エリクソンは、多くの重要なポイントを私がはっきりと理解できるまで、辛抱強く支援してくれた。

さらに、本書で論じたさまざまな科学的知識について詳しく解説してくれた、ロバート・プール、ジェフリー・カーピック、アンジェロ・デニシ、アブラハム・クルーガー、ジャクリーン・トーマス、マイケル・ヘルツォークに感謝する。

そしてウルトラ・ラーニングに関する私の実験に参加してくれた、トリスタン・デ・モンテベロ、ジェフ・ラッセル、ダイアナ・フェーゼンフェルト、ケイト・シュット、リサ・シェロン、ジョシュア・サンデマン、ケエルティ・ヴェムラパリ、ブリタニー・シュー、シャンカール・サティシュ、アシマ・パンジュワニ、アシュファク・アルサム、アンキータ・Jに感謝したい。

最後に私の両親、ダグラスとマリアン・ヤングに感謝の言葉を述べたい。彼らは教師で、学習はそれ自体が褒美なのだということを、私に教えてくれた。

［著者］

スコット・H・ヤング（SCOTT H. YOUNG）

全米屈指のアルファブロガー。カナダ西部で最古の歴史を誇るマニトバ大学を卒業。独自の学習メソッドを用いて、「入学しないまま、マサチューセッツ工科大学（MIT）の4年間のコンピュータ科学のカリキュラムを1年でマスターした」ことで知られる。その他にも、「１年間で４つの日常会話レベルの外国語を習得する」「たった１ヶ月で非常に写実的なデッサンが描けるようになる」など、常人では不可能なスピードで数々の専門的なスキルを身につけてきた。TEDにも2度登場していて、その動画が総視聴回数260万回を超えるなど話題を呼ぶ。自身のPodcast番組も持っている。本書が初の著書にもかかわらず、ウォール・ストリート・ジャーナル・ベストセラーになるなど注目を集めている。

［訳者］

小林啓倫（こばやし・あきひと）

1973年東京都生まれ。経営コンサルタント。獨協大学卒業、筑波大学大学院修士課程修了。システムエンジニアとしてキャリアを積んだ後、米バブソン大学大学院にてMBAを取得。その後外資系コンサルティングファーム、国内ベンチャー企業を経て、現在はコンサルタント業の傍ら、ライター・翻訳者としても活動。著書に『災害とソーシャルメディア』（マイナビ出版）、訳書に『データ・サイエンティストに学ぶ「分析力」』（日経BP）など多数。

ULTRA LEARNING　超・自習法
――どんなスキルでも最速で習得できる9つのメソッド

2020年３月４日　第１刷発行
2020年３月17日　第２刷発行

著　者――スコット・H・ヤング
訳　者――小林啓倫
発行所――ダイヤモンド社
〒150-8409　東京都渋谷区神宮前6-12-17
http://www.diamond.co.jp/
電話／03·5778·7232（編集）　03·5778·7240（販売）

装丁――山田知子（chichols）
本文デザイン・DTP－岸和泉
校正――鷗来堂
製作進行――ダイヤモンド・グラフィック社
印刷／製本―勇進印刷
編集担当――木下翔陽

ISBN 978-4-478-10572-6